O Banquete

Dados Internacionais de Catalogação na Publicação (CIP)
(Câmara Brasileira do Livro, SP, Brasil)

Platão
   O Banquete / Platão ; tradução, introdução e
notas de Anderson de Paula Borges. – Petrópolis, RJ :
Vozes, 2017. – (Vozes de Bolso)

   4ª reimpressão, 2023.

   ISBN 978-85-326-5380-2

   1. Filosofia antiga 2. Literatura grega
I. Borges, Anderson de Paula. II. Título. III. Série.

16-08805   CDD-184

Índices para catálogo sistemático:
   1. Filosofia platônica   184
   2. Platão : Obras filosóficas   184

Platão

O Banquete

Tradução, introdução e notas de
Anderson de Paula Borges

Vozes de Bolso

Tradução do original em grego intitulado *ΣΥΜΠΟΣΙΟΝ*
Traduzido a partir da edição de Burnet, John. *Platonis Opera*,
volume II. Oxford, Oxford University Press, 1901.

© desta tradução:
2017, Editora Vozes Ltda.
Rua Frei Luís, 100
25689-900 Petrópolis, RJ
www.vozes.com.br
Brasil

Todos os direitos reservados. Nenhuma parte desta obra poderá ser reproduzida ou transmitida por qualquer forma e/ou quaisquer meios (eletrônico ou mecânico, incluindo fotocópia e gravação) ou arquivada em qualquer sistema ou banco de dados sem permissão escrita da editora.

CONSELHO EDITORIAL

Diretor
Volney J. Berkenbrock

Editores
Aline dos Santos Carneiro
Edrian Josué Pasini
Marilac Loraine Oleniki
Welder Lancieri Marchini

Conselheiros
Elói Dionísio Piva
Francisco Morás
Gilberto Gonçalves Garcia
Ludovico Garmus
Teobaldo Heidemann

Secretário executivo
Leonardo A.R.T. dos Santos

Editoração: Fernando Sergio Olivetti da Rocha
Diagramação: Sheilandre Desenv. Gráfico
Revisão gráfica: Nilton Braz da Rocha
Capa: visiva.com.br
Arte-finalização: Ygor Moretti
Ilustração de capa: O Banquete de Platão,
Anselm Feuerbach (1873), Alte National Galerie, Berlim.

ISBN 978-85-326-5380-2

Este livro foi composto e impresso pela Editora Vozes Ltda.

Sumário

Introdução, 7

Banquete, 21

Notas, 101

Introdução

O ateniense **Platão** (427-347 a.C.) é o filósofo que sistematizou o gênero de conhecimento que ainda hoje chamamos "filosofia". Como observou Richard Kraut[1], Platão tornou a filosofia uma disciplina munida de um método distintivo, usando-a para fazer investigações radicais e submeter os pressupostos de outras áreas a escrutínio. A quase totalidade de sua obra é constituída de diálogos. O *Banquete*, considerado um diálogo da fase madura do seu pensamento, foi escrito, provavelmente, entre 384 e 379 a.C. (cf. DOVER, 1980, p. 10).

Um traço notável do *Banquete* é a complexidade de sua composição. Platão escolhe, cuidadosamente, alguns representantes da intelectualidade da Atenas de seu tempo e concebe discursos para que profiram durante um banquete na casa do poeta Agatão. O texto é um testemunho de como Platão dominava o método de filosofia que concebeu: investigações discursivas sobre temas de interesse geral (Amor, Justiça, Conhecimento) por meio de diálogos fictícios com personagens históricos, muitos dos quais defensores, de fato, das ideias vinculadas a seus nomes. A fórmula típica de um diálogo platônico é um texto que desenvolve argumentos por meio de conversas. No *Banquete*, Platão emprega essa fórmula para compor uma trama de discursos, personagens, fatos históricos, costumes da Atenas clássica, humor e ironia.

O tema do *Banquete* é uma investigação filosófica sobre *Erōs*, termo que traduzimos por "Amor". Embora tenhamos adotado essa opção de tradução em todas as ocorrências de *Erōs* no texto, é importante notar que o termo grego tem um sentido mais amplo do que o amor interpessoal (talvez o termo "desejo" seja mais apropriado em algumas partes do texto). Na verdade, a progressiva exposição da complexidade e amplitude da noção de *Erōs* é o que constitui o próprio tema do diálogo, sendo delineada, aos poucos, pelos próprios oradores. Nesse sentido, nenhum discurso é suficiente e todos são complementares ao tema desenvolvido no *Banquete*.

Do ponto de vista dramático, o *Banquete* se passa na casa do poeta trágico Agatão, em algum momento do ano de 416 a.C. Mas a narrativa começa mais tarde, talvez uns 10 ou 15 anos, numa cena com Apolodoro, narrador principal, conversando com um amigo, cujo nome não sabemos. Apolodoro menciona um episódio no qual encontrou Glauco e outros amigos de Sócrates. Glauco queria saber sobre os eventos ocorridos na casa de Agatão. Apolodoro diz a Glauco que não estava presente, pois o evento ocorreu há bastante tempo (173a), mas vai contá-lo, já que, como foi dito na primeira sentença do diálogo, ele está, efetivamente, preparado para tal. Apolodoro começa, então, a descrever o evento a partir do que ouviu do ateniense Aristodemo, um seguidor de Sócrates, presente ele mesmo no jantar. Assim, por meio de narrativas indiretas, a partir de 174a o leitor acompanha o relato que Apolodoro faz do que ouviu de Aristodemo.

Aristodemo conta que encontrou Sócrates se dirigindo para a casa de Agatão com a intenção de participar de um jantar. Há cerca de dois dias Agatão tinha vencido sua primeira competição de tragédias e vários convidados estariam em sua casa para celebrar o feito, entre eles Fedro, Pausânias, Erixímaco, Aristófanes e Sócrates. Alcibíades chegaria depois, embriagado, mas lúcido o bastante para ser aceito como participante.

A tradição destes jantares – o título em grego do *Banquete* é *Sūmposion*, espécie de jantar festivo – era servir a comida primeiro. Quando todos já estavam saciados, os servos retiravam os alimentos, lavavam as mãos dos convidados e o simposiarca (mestre de cerimônias) mandava trazer a bebida. No *Banquete*, Pausânias propõe que a bebedeira seja moderada, pois alguns dos presentes tinham exagerado no dia anterior, quando já comemoravam a conquista de Agatão. Então Erixímaco, assumindo a função de simposiarca, acolhe a proposta de Pausânias e pede para que Agatão dispense a garota que está executando a música. Assim, num clima depurado de outras distrações, Erixímaco acolhe uma sugestão dada em outro momento por Fedro: que era preciso produzir um discurso de louvor do Amor. Todos concordam com a proposta de fazer o elogio do Amor e, a partir daí, o leitor acompanha um "banquete de discursos".

A concepção de "elogio" (*enkōmion*) é uma fórmula já consagrada na literatura grega clássica. São discursos que visam descrever as características positivas de um objeto, tema ou pessoa. Esses discursos tinham critérios definidos. Basicamente, devia-se falar: (1) da origem: estrutura da família, força, beleza e riqueza; (2) das virtudes distintas das qualidades da origem, como sabedoria, justiça, coragem e ocupações que justificam sua reputação; (3) dos antepassados; (4) das realizações e influências benéficas, incluindo o que causou através de outros agentes (cf. DOVER, 1980, p. 12).

A seguir, oferecemos um breve comentário de cada discurso.

Fedro (178a-180b) enfatiza que, quanto à origem, *Erōs* é o deus mais antigo e, quanto aos benefícios, é o único capaz de levar um indivíduo a agir em proveito do outro. Sem prestar muita atenção à distinção que vigora à época entre o amante (o parceiro mais velho) e o amado (o mais jovem), Fedro defende que o Amor é capaz de incutir virtude, seja naquele que desenvolve o desejo pelo amado, seja naquele que, sendo transformado por esse desejo, torna-se virtuoso. Assim, já no primeiro discurso, *O Banquete* trata da relação entre Amor e educação, uma abordagem que predomina em todos os demais discursos.

Pausânias (180c-185c) explora a natureza dupla do Amor e seus efeitos nas relações amorosas entre indivíduos do mesmo sexo e indivíduos de sexos diferentes. Como nota Christopher Gill (*Plato: The Symposium*, 1999), é neste discurso que o amor entre homens do mesmo sexo é mais diretamente tematizado – se bem que todos os demais oradores mencionam essa forma. O discurso de Pausânias chama a atenção para os diferentes níveis de aceitação dessa opção nas cidades gregas. Em Atenas as regras são "complexas", ele diz, pois os homens mais velhos são encorajados a buscar o amor dos mais jovens, mas os pais, em contraste, esforçam-se para evitar que seus filhos se envolvam nesse tipo de relação. Pausânias atribui essa ambiguidade à diferença entre o que ele chama de *Amor Popular* e *Amor Celestial*. O primeiro é o amor físico, predominante no desejo do homem pela mulher (e vice-versa), mas também em casais de homens ou de mulheres. Pausânias explica que a rejeição dos pais se deve aos efeitos nocivos que essa forma apresenta, especialmente por ser focada exclusivamente na gratificação sexual mútua. O segundo tipo é o Amor cujo objetivo é a educação da alma e o desenvolvimento da virtude. Para Pausânias, esse Amor deveria vigorar em Atenas como uma forma de troca: na relação amorosa o jovem receberia a formação intelectual do mais velho e ofereceria em troca, se for o caso, a gratificação sexual (cf. 184d-185c). Christopher Gill (1999) defendeu que o discurso de Pausânias contém uma crítica indireta de Platão às práticas sexuais atenienses, pois no discurso de Sócrates-Diotima (199c-212b) o aspecto educativo e moral do Amor entre homens será novamente mencionado, mas sem a gratificação sexual (cf. 209b-c; 210b-c).

Com **Erixímaco** (186a-188e) *Erōs* é posto numa perspectiva mais ampla. O médico argumenta, como Fedro e Pausânias, que a melhor forma de Amor é a que incentiva o desenvolvimento da excelência moral ou virtude (*aretē*). Além disso, Erixímaco sustenta a tese de que o Amor é um deus presente em todo o universo e que o Amor adequado ou harmônico só é possível por meio da medicina. Como a medicina é a técnica relacionada à saciedade e vacuidade dos corpos, o Amor está relacionado ao modo como os elementos são combinados ou dissociados. Sem a medicina, *Erōs* manifesta-se sob a forma de doenças e separação de elementos. Mas, quando os indivíduos envolvidos por *Erōs* se valem do conhecimento médico, promovem a harmonia e permitem uma experiência amorosa efetiva e com benefícios.

O discurso de **Aristófanes** (189c-193d) introduz uma ideia nova: a natureza essencialmente carente do ser humano. O Amor, que para Aristófanes significa desejo por outra pessoa, é o efeito mais visível de uma carência essencial que a natureza humana carrega desde que, por obra de um ato divino, foi despojada de sua condição originária. O comediógrafo introduz um mito para explicar como era essa condição e como os indivíduos estão agora. Conforme o mito, antigamente os gêneros eram 3: masculino, feminino e o andrógino. Todos tinham uma cabeça, duas faces, quatro braços, quatro pernas, e assim por diante. Os homens eram fortes e ambiciosos, o que acabou despertando neles a vontade de tomar conta do Olimpo. Para punir sua arrogância, Zeus ordenou que fossem cortados ao meio. Assim, o mito pretende explicar a origem do desejo inato que um ser humano sente por outro ser humano. Depois de cortado, cada indivíduo, conforme seu gênero, vive unicamente em busca daquele outro ser que irá restituir sua integralidade. Para Aristófanes – em claro contraste com os discursos anteriores, mas não com o de Sócrates, a seguir – o desejo sexual e o anseio de convivência são expressões da incompletude original de uma natureza humana que um dia já foi completa e feliz. Aristófanes enfatiza ainda que a necessidade que cada pessoa tem de partilhar uma vida comum vai além do desejo sexual, pois é um desejo real de viver, com o outro, a existência completa que cada um teria se não fosse o corte original. O mito permite a Aristófanes uma extraordinária dinâmica na explicação das formas de preferência sexual: a preferência pelo sexo oposto teria surgido do corte do ser originariamente andrógino, enquanto que as demais opções sexuais foram cortes dos seres completamente masculinos ou dos seres completamente femininos. Notemos também que a ideia básica do mito, a carência natural, é semelhante ao ponto que será desenvolvido por Sócrates sobre o desejo, adiante, na seção 199c-201c.

O discurso de **Agatão** (194e-197e) segue de perto as regras dos discursos elogiosos, embora tenha a intenção de ser inovador, pois começa com a defesa de um princípio: Agatão diz que pretende falar primeiro da natureza de *Erōs* para só então tratar de seus efeitos. Ele parece se referir ao princípio socrático, comum nos diálogos ditos "da juventude" de Platão, segundo o qual devemos sempre enunciar os atributos de x com base no conhecimento da natureza essencial de x. Agatão passa a descrever e defender dois atributos centrais de *Erōs*: suprema beleza e suprema bondade. Para cada um, ele menciona uma lista de "evidências", cujo propósito é mostrar que o atributo em questão é, de fato, verdadeiro de *Erōs*. Naturalmente, por ser um poeta exímio em oratória, tais evidências não passam de recursos retóricos construídos sobre imagens e analogias retiradas da poesia e da arte, como nota Bury (1932, *Introdução*, p. 35). O discurso se fecha com a menção aos efeitos daqueles atributos: paz, prazer, admiração, guia excelente em várias atividades, entre outros.

O discurso de **Sócrates** (199c-212b), de longe o mais elaborado filosoficamente, pode ser dividido em três partes. Primeiro, há um diálogo com Agatão (199c-201c) no qual Sócrates estabelece um ponto acerca da noção de "desejo". Todo desejo tem dois aspectos: (i) é relacional, pois é desejo *de* algo; (ii) é carência, pois é desejo de algo que não se possui atualmente. Agatão tinha argumentado em seu discurso que a natureza de *Erōs* possui o atributo da beleza e que tal posse permite ao Amor transferir seu atributo às coisas com as quais se relaciona. Sócrates faz Agatão assentir que essa afirmação não se sustenta, pois *Erōs* é *desejo de beleza* e o que deseja x não possui x. Portanto, o Amor em si não transfere a beleza. Ele é uma busca pela beleza, cujo efeito psíquico é levar o indivíduo a apreender quais meios permitem obter as coisas belas.

Tendo exposto isso, Sócrates passa para a segunda parte de seu discurso, uma das mais sugestivas de todo o diálogo. Em toda a seção 201e-209e são relatados os pontos efetivamente defendidos por Diotima. Antes de tudo, *Erōs* é um espírito com natureza situada entre dois opostos: seres humanos e divindades. É um ser intermediário, um *daimōn* (espírito). Isso completa o argumento desenvolvido anteriormente na conversa entre Sócrates e Agatão, quando Sócrates defendeu que *Erōs* é desejo do que não se possui. Agora Sócrates complementa: *Erōs* não é carência completa, pois, nesse caso, quem estivesse sob efeito de *Erōs* sequer poderia identificar o objeto do seu desejo. *Erōs* é um desejo interposto entre o estado psicológico de "ter x" e o oposto "não possuir absolutamente nada de x". O ponto é arrematado pelo relato de um mito sobre a origem de *Erōs* (203b-203e). O mito enfatiza dois traços básicos: *Erōs* é carente, de um lado, mas é cheio de recursos e artimanhas quando se trata de perseguir seu objeto, de outro.

Na sequência (204d-206a) Diotima expõe o objeto de *Erōs*: é um desejo de posse do que é bom e belo cujo fim (*telos*) é a felicidade (cf. 205d). Esse aspecto dá corpo ao restante da argumentação de Diotima, pois, ao estabelecer que a meta de *Erōs* é a felicidade (*eudaimonia*), por meio da posse do que é bom e do que é belo, Diotima amplia definitivamente o sentido do Amor, sem, contudo, afastar-se do amor trivial dos amantes, pois eles não irão discordar que, em última instância, a felicidade é de fato o objetivo do Amor.

Na seção 206b-208b Diotima acrescenta mais um aspecto à natureza de *Erōs*: sua função (*ergon*) *é* "parir no belo, tanto no corpo como na alma" (206b). Esse aspecto é explorado por meio da imagem da gravidez: o Amor é, antes de tudo, um desejo de procriar. Desejamos procriar como forma de perpetuar nossa existência, pois nossa condição terrena é transitória e finita. A geração de filhos é o meio disponível ao indivíduo para perdurar sua existência. Por isso dedicamos parte importante de nossa vida – e de nossos esforços – aos filhos, e o mesmo se verifica no reino animal.

A seção 208c-209e desenvolve o tema da imortalidade como função do Amor num sentido mais amplo: desejo por fama, por realizações e por atos que perpetuem o nome do indivíduo são testemunhos, segundo Diotima, do desejo de ser imortal. Diotima dá destaque aqui a atos que indicam "gravidez psíquica" como: heroísmo, ensino de excelência moral, legislação, produção poética e outros. São todos contextos em que *Erōs* exerce sua função do ponto de vista da alma dos indivíduos, em oposição aos casos em que *Erōs* busca imortalidade por meio da reprodução sexual. Nos casos voltados à alma, o objetivo é a imortalidade porque o indivíduo quer preservar sua memória por meio daqueles atos (cf. 208c, 209e).

O leitor deve notar que há um elemento comum que unifica todas essas instâncias de geração com vistas à imortalidade. Apesar da plasticidade da metáfora da gravidez, que permite ir do sexo à legislação, Diotima nunca se afasta da tese de que o Amor é um desejo essencialmente relacionado à beleza. Além disso, é crucial não interpretar equivocadamente essa conexão entre Amor e Beleza, pois ela é dominante na investigação desenvolvida no *Banquete*. Na leitura de Diotima, o Amor é um desejo de parir nos objetos que manifestam instâncias de beleza, como a beleza de uma mulher ou de um homem, a beleza da alma de uma pessoa, a beleza de uma cidade ou de uma lei, a beleza de uma obra ou de uma ideia, e assim por diante. Diotima parece sustentar que, pelo menos no âmbito humano racional, nenhum ser deseja conceber ou se associar com o que não exibe aspectos dignos de serem desejados, reproduzidos e imortalizados. Nesse sentido, um físico não belo, uma alma abjeta, uma cidade feia, uma lei injusta, uma obra ruim e uma ideia falsa são todos casos que não vão despertar qualquer nível de interesse por parte de *Erōs*.

Por fim, a seção 210a-212b constitui a terceira e última parte do discurso. Diotima descreve aí o processo intelectual de compreenssão definitiva do atributo mais importante relacionado a *Erōs*: o belo. Diotima defende que um indivíduo interessado em adquirir conhecimento substancial das questões relacionadas ao Amor, como Sócrates, deve encarar todo o processo de aprendizado como uma ascensão de níveis de menor generalidade a níveis de maior generalidade teórica. Trata-se, portanto, de uma questão de conhecer o Amor num nível abstrato e informativo, pois, como vem sendo destacado desde o início do diálogo, o *Banquete* é uma proposta de expressão discursiva da natureza de *Erōs*.

Vamos comentar apenas alguns aspectos dessa seção, deixando os demais para que o leitor aprecie e avalie por si mesmo. Primeiro, a seção não parece tratar de toda forma de conhecimento das ideias, apenas do conhecimento *do belo* [*tou kalou*]. Claro que o procedimento de conhecer outras ideias é semelhante, mas é preciso colocar a passagem em seu contexto: Diotima revela a Sócrates que o conhecimento *do belo* se dá por degraus. O primeiro degrau ocorre já na juventude, quando o jovem desenvolve amor por um corpo (uma pessoa). Diotima diz que, se bem orientado, o indivíduo pode aproveitar essa ocasião para desenvolver "belos discursos", isto é, para desenvolver conhecimentos por meio desse envolvimento emocional com uma pessoa que detém saber (vimos anteriormente que esse tipo de relação é um ideal recomendado por outros oradores). Depois, o progresso intelectual irá levar o jovem a perceber "por si mesmo" (210b) que há uma semelhança em todos os casos de beleza física. Nesse estágio o jovem já poderá perceber que a causa dessa semelhança é a "Forma" (*eidos*) da beleza e que "é muita tolice não considerar a beleza de todos os corpos uma só e a mesma". Esse conhecimento irá levá-lo a "abandonar" a beleza de um só corpo para se dedicar à beleza de todos. Isso indica que o jovem já começa a ver a beleza abstratamente. É um avanço considerável, pois implica notar a diferença entre uma visão da beleza a partir de um caso de amor concreto – ainda que bem orientado – e a visão da beleza "de todos os corpos". O recuo ou abandono da beleza de um só, para contemplar a beleza de todos os corpos, nada mais é do que o efeito do conhecimento no nível informativo dos conceitos. Nesse nível, a alma do indivíduo já começa a ser orientada pelo conhecimento do que, de fato, está envolvido em *Erōs*. Adiante, quando Alcibíades relatar o comportamento de Sócrates em face das investidas amorosas, é possível perceber como Sócrates pratica esse abandono "do amor de um só corpo".

Há muito mais detalhes e questões em aberto na seção em 210a-212b. Alguns intérpretes acham, por exemplo, que a seção exibe um aparente desprezo de Platão pelo amor interpessoal e uma exagerada valorização do amor filosófico impessoal, voltado exclusivamente ao estudo das ideias (daí por que a tradição cunhou a expressão "amor platônico"). Outros entendem que a seção apenas mostra que Platão considera o conhecimento mais elevado – nomeado por ele "filosofia" –, bastante difícil, pois tem como derradeiro degrau uma visão direta das ideias ou Formas.

Mesmo supondo que Platão pensa que esse conhecimento é difícil, a passagem indica que é possível. Quando finalmente chega nesse estágio cognitivo, o indivíduo, voluntariamente, passa a se interessar menos pelo mundo empírico de *Erōs*, mundo este que abriga todo aquele festival de imagens mentais, muitas vezes falsas, com forte apelo físico e emocional. Nesse sentido, uma das mensagens do *Banquete* é a de que o conhecimento filosófico permite ao indivíduo mais liberdade e mais felicidade – lembremos que Diotima ensinou que a felicidade é o *telos* do Amor – em sua própria experiência com *Erōs*.

O último discurso é o de **Alcibíades** (214e-222b), um político e general ateniense, no auge de sua reputação, com cerca de 34 anos na época do jantar. A fala de Alcibíades foge do padrão das demais, pois não trata de *Erōs*, mas de Sócrates. Fundamentalmente, o discurso relata como Alcibíades e Sócrates tinham visões diferentes sobre os objetivos da associação que mantinham entre si. Embora Alcibíades desejasse obter de Sócrates educação filosófica, o jovem político ainda pensava, como Pausânias e outros membros da alta sociedade ateniense, que em troca devia oferecer favores sexuais. Mas o relato deixa claro que Sócrates rejeita esse modelo, o que explica o completo fracasso das investidas de Alcibíades, cujos detalhes compõem um dos momentos mais cômicos do *Banquete*. De outro lado, parte do discurso se ocupa dos atributos que Alcibíades considera dignos de louvor em Sócrates: a coragem nas batalhas, a firmeza de caráter, sua excepcional singularidade como indivíduo, entre outros.

O discurso representa um contraponto ao de Sócrates-Diotima. Este último descreve todos os passos de um conhecimento erótico bem-sucedido em termos de explicação geral da natureza e dos efeitos de *Erōs*. O discurso de Alcibíades, em contraste, representa uma instância do amor que toma conta do típico jovem ateniense, autoconsciente de sua beleza e de sua capacidade como indivíduo. Alcibíades se associou a Sócrates com pretensão de saber, mas suas intenções eram a glória pessoal e o prazer da gratificação sexual. Por isso, a participação de Alcibíades no *Banquete*, entre outros aspectos, ressalta uma condição emocional que, enquanto tal, não desperta desejo de imitação ou desejo de "geração", se a virmos sob a perspectiva dos traços que, segundo Diotima, provocam a manifestação de *Erōs*. Assim, como um exemplo de pessoa cujos atos e pensamentos são definidos pelo amor apaixonado unilateral por outro, Alcibíades pode despertar curiosidade, comiseração, riso, simpatia e até mesmo empatia, mas, diferentemente de Sócrates, não desperta *Erōs*.

Banquete[2]

Apolodoro e um companheiro[3]

(172a) *Apolodoro.* Acredito que não estou sem preparo para descrever os eventos sobre os quais me interrogas, pois no dia anterior a ontem estava indo de minha casa, em Falero[4], para Atenas, quando um conhecido me viu por trás e, chamando-me a distância, disse em tom de brincadeira:

"Falerino![5] Ei, Apolodoro! Não vais me esperar?"

Parei e esperei.

Então ele disse, "Apolodoro, há pouco te procurava. Queria me informar sobre **(172b)** tudo o que aconteceu no encontro entre Agatão, Sócrates, Alcibíabes e outros – que naquele momento tomaram parte no banquete –, para ouvir quais foram os discursos proferidos em honra do Amor[6]. Ouvi uma versão de alguém que a ouvira de Fênix, o filho de Filipe, e que disse que tu também tinhas conhecimento do assunto. Mas tal pessoa não proferiu nada de muito claro, de modo que tu deves relatar-me, pois és o que mais propriamente podes reportar as palavras do teu amigo[7]. Antes, porém", disse ele, "fala-me: tu mesmo estavas no encontro ou não?"

Eu disse, "parece que absolutamente nada de claro teu narrador te relatou, se **(172c)** supões que o encontro sobre o qual interrogas aconteceu recentemente, de forma a permitir minha presença".

"Penso que sim", disse ele.

"Mas como pode, Glauco? Não sabes que há muitos anos Agatão está ausente de Atenas e que não se passaram três anos desde que comecei a ter contato com Sócrates, assumindo como tarefa diária saber o que ele fala e faz? Antes disso eu costumava **(173a)** pensar que fazia algo, quando de fato me conduzia ao acaso, sendo mais miserável do que qualquer outro. Não era mais digno do que tu és agora, pois pensava que a filosofia deveria ser a última coisa com a qual deveria me ocupar."

"Não brinques comigo", ele disse, "mas dize-me quando esse encontro aconteceu?"

"Na época que nós ainda éramos crianças", eu disse, "quando Agatão ganhou o prêmio por sua primeira tragédia[8], no dia posterior àquele em que ele e seus coreutas ofereceram sacrifícios pela vitória".

"Muito bem, então faz muito tempo, ao que parece!", disse ele. "Mas quem te contou, o próprio Sócrates?" **(173b)**.

"Não, por Zeus!", eu disse. "Mas aquele mesmo que o relatou a Fênix: Aristodemo[9] de Cidateneão, um homem pequeno, que anda sempre de pés descalços; estava presente à reunião e à época não havia maior fã[10] de Sócrates do que ele, penso eu. Mas, é claro, interroguei Sócrates depois sobre algumas coisas que ouvi de Aristodemo e Sócrates concordou que foi tal como aquele reportou."

"Por que então não me contas?", disse ele. "De qualquer modo, o caminho até a cidade nos dá uma ótima oportunidade para falar e ouvir enquanto seguimos."

Assim, enquanto íamos pelo caminho, tornamos aqueles discursos objeto de nossa conversa **(173c)**, de modo que, como disse no início, não estou sem preparo para o tema. Se devo então também relatá-lo a vós, é o que farei. Aliás, quando eu mesmo faço discursos filosóficos ou quando os ouço, sem contar o proveito que me trazem, tenho como que um prazer extraordinário; mas quando se trata de outros temas, particularmente dos assuntos daqueles entre vós que são ricos e negociantes, fico entediado e sinto piedade de vós, meus companheiros, porque acreditais estar realizando alguma coisa, mas não realizais nada (**173d**). Por outro lado, talvez também vós acrediteis que sou um desafortunado[11], o que julgo ser uma opinião verdadeira. Mas eu, quanto a vós, não penso que sois desafortunados: sei que sois.

Companheiro: És sempre o mesmo, Apolodoro. Sempre acusas a ti mesmo e aos outros e me parece que, de fato, julgas que todos, começando de ti, são miseráveis, exceto Sócrates[12]. De onde pegou esse apelido "o mole" pelo qual és chamado, eu mesmo não sei, mas és sempre assim em tuas conversas: mostras-te irritado contigo e com os outros, mas não com Sócrates.

(**173e**) *Apolodoro*: Meu caríssimo amigo, é realmente evidente que eu, por pensar assim de mim e de vós, me enfureço e fico descontrolado.

Companheiro: Não vale a pena se incomodar com isso agora, Apolodoro, mas não retardes mais o assunto e relata, conforme te pedimos, quais foram os discursos.

Apolodoro: Muito bem, aqueles discursos foram mais ou menos assim... mas espera! Devo começar do princípio e tentar reportá-los (**174a**) como Aristodemo os relatou a mim.

Aristodemo disse que ele e Sócrates se encontraram quando este tinha acabado de tomar banho e estava de sandálias, dois eventos raros. Aristodemo então perguntou-lhe aonde ia assim tão bonito.

Sócrates disse: "Para o jantar de Agatão. Ontem fugi dele e das celebrações da vitória, por causa do medo que tenho da multidão. Concordei, no entanto, em estar presente hoje. Por isso me arrumei assim tão bem, para ir belo à casa de um belo. Mas e **(174b)** tu?", ele disse. "Estás disposto a ir sem convite ao jantar?"

E Aristodemo contou que respondeu: "Irei aonde quiseres que eu vá, Sócrates".

"Vamos lá então", disse Sócrates, "e vamos falsear o provérbio, alterando-o[13] para dizer que, afinal de contas, "à festa de bons (*agathōn*)[14] os bons vão por conta própria". Homero, aliás, não só se aproxima de destruir o provérbio, mas também o despreza, pois representa Agamêmnon como o mais valioso dos homens e a Menelau como um "lanceiro fraco"[15] **(174c)**. Quando Agamêmnon está dando um banquete depois de ter oferecido sacrifícios, Homero faz Menelau entrar na festa sem ser convidado, e assim temos um homem inferior indo à festa de um superior".

Aristodemo disse que, tendo ouvido estas coisas, respondeu: "Contudo, temo que meu caso, Sócrates, esteja mais próximo do exemplo de Menelau em Homero do que do teu relato: serei um medíocre indo à festa de sábios sem ser convidado. Certifica-te, portanto, de qual desculpa darás se me levares, pois não concordarei em ir sem ser convidado: direi que fui chamado por ti" **(174d)**.

"Enquanto nós dois nos pomos a caminho", disse Sócrates, "decidiremos o que falar. Andemos".

Aristodemo disse que seguiram em frente após essa conversa. Então, à medida que caminham, de algum modo Sócrates volta seu espírito sobre si mesmo e fica para trás; quando Aristodemo o espera, Sócrates pede para ele continuar à frente e seguir. Ao chegar à casa de Agatão, Aristodemo encontra a porta aberta **(174e)** e sente que está, disse ele, numa situação engraçada[16]. De dentro da casa um escravo o recebe imediatamente e o conduz à sala onde os demais convidados estão reclinados[17], sendo que todos já estão prestes a começar o jantar. Quando Agatão o viu, exclamou: "Aristodemo! Chegaste no momento certo para jantar conosco. Se vieste por outro motivo, deixa para depois. Ontem fiquei procurando-te para chamar-te, mas não fui capaz de te ver. Mas como é que não trouxeste Sócrates contigo?"

E Aristodemo contou que, quando olhou para trás, não viu Sócrates em lugar algum. Disse então a Agatão que tinha vindo com Sócrates e que foi ele, de fato, quem o convidou para o jantar.

"Fizeste muito bem", disse Agatão. "Mas, e ele, onde está?"

(175a) "Estava há pouco atrás de mim. Eu mesmo me pergunto espantado onde será que poderia estar?"

"Não vais procurá-lo e trazê-lo aqui, escravo?", disse Agatão. "Quanto a ti, Aristodemo, reclina-te ao lado de Erixímaco."

Aristodemo disse que enquanto um servo lhe lavava os pés e as mãos para poder acomodar-se no divã, outro servo chegou anunciando: "Este Sócrates de que falais está plantado imóvel em frente ao portão dos vizinhos e, embora o tenha chamado, não quer entrar".

"Estranho o que dizes", disse Agatão. "Então chama-o e não permitas que vá embora."

(175b) E Aristodemo disse: "De jeito nenhum! Deixa-o. Esse é um hábito que ele tem. Algumas vezes se põe afastado, não importa em que lugar, e permanece assim, parado. Não demorará para estar aqui, penso eu. Não o perturbes, deixa-o assim".

"Então é o que faremos, se assim te parece melhor", disse Agatão. "E vós, servos, entretende os demais, pois, de toda forma, sempre servis o que quereis quando ninguém vos supervisiona, algo que, aliás, nunca fiz. Desta vez, contudo, imaginais que eu e os outros somos vossos convidados para o jantar e cuidai de nós, para que fiquemos **(175c)** gratos." Depois disso todos começaram a jantar, disse Aristodemo, mas Sócrates não chegava. Agatão várias vezes ordenava que fossem buscá-lo, mas Aristodemo impedia-o. Enfim, Sócrates chega – não muito depois, como era seu costume – quando já estavam no meio da refeição. Então Agatão, que se reclinou no lugar mais afastado, disse: "Aqui, Sócrates, acomoda-te perto de mim para que, pelo toque do sábio, eu possa experimentar aquela forma de sabedoria que se instalou em ti quando estavas nos portões externos. É evidente que a encontraste e agora a possuis, pois, de outro modo, não terias suspendido a busca" **(175d)**.

Sócrates senta e diz: "Seria muito bom, Agatão, se a sabedoria fosse de tal modo que, do mais carente para o mais cheio de nós, ela fluísse por mero contato, como a água dos copos que, através do fio de lã, flui de um copo cheio para um vazio. Se desse modo também advém a sabedoria, terei muita honra em sentar-me contigo junto à mesa **(175e)**, pois imagino que, vinda de ti, uma bela e intensa sabedoria irá me preencher. A minha é provavelmente inútil ou talvez disputável como em um sonho, mas a tua é radiante e tem condições de se desenvolver muito, considerando que, sendo ainda jovem, outro dia a vimos brilhar com tal intensidade e visibilidade diante de mais de trinta mil gregos".

"És uma pessoa insolente, Sócrates", disse Agatão. "Mas logo mais eu e tu vamos argumentar sobre essa questão da sabedoria; tomaremos a Dioniso como juiz. Agora, porém, volta-te, antes de mais nada, para o jantar."

(176a) Depois disso, disse Aristodemo, Sócrates reclinou-se no divã e comeu junto com os demais. Eles fizeram as libações e cantaram um hino ao deus, cumprindo com o costume, e depois se voltaram para a bebida. Pausânias[18] então começa o discurso desse modo. "Bem, homens, qual é o modo mais confortável para bebermos? Vou dizer-vos que, na verdade, não estou numa boa condição devido à bebedeira de ontem; devo respirar um pouco, como a maioria de vós, penso, pois estáveis presentes nas celebrações **(176b)**. Examinai então como podemos beber do modo mais confortável possível."

Aristófanes[19] então disse: "Trata-se mesmo de uma excelente ideia, Pausânias, arranjarmos de toda maneira um jeito de pegarmos leve com a bebida, pois eu também sou um dos que mergulharam fundo nela ontem".

Erixímaco, o filho de Acúmeno, ao ouvi-los, disse: "Falais muito bem! Mas de um de vós devo ainda saber em qual estado se encontra quanto a suportar bem a bebida, não é, Agatão?"

"Absolutamente, nem eu mesmo estou em condições", disse Agatão.

(176c) "Um golpe de sorte para nós, ao que parece – para mim, Aristodemo, Fedro[20] e para os demais –, se vós, os mais fortes na bebida, agora renunciais, pois nós, com efeito, somos sempre fracos. Faço uma exceção para Sócrates nesse discurso, pois, de fato, ele se adapta a ambos os modos, de forma que ficará bem, seja lá o que fizermos. Visto que me parece então que nenhum dos presentes está ansioso por beber muito vinho, talvez não seja deselegante eu falar a verdade sobre o que é a embriaguez. Como **(176d)** praticante da medicina, tornou-se muito claro para mim que a bebedeira é prejudicial aos homens; e nem eu próprio, se puder decidir, me permitiria beber muito, nem o aconselharia a outro, especialmente quando alguém está de ressaca da véspera."

"Muito bem", disse Fedro de Mirrinote, "estou acostumado a dar-te crédito, particularmente sobre qualquer assunto que trates como médico; no caso presente, se pensarem com acerto, também o farão os demais" **(176e)**. Ouvindo isso, todos concordaram em não tornar o presente encontro uma ocasião de embriaguez, mas simplesmente beber com vistas ao prazer.

"Já que está estabelecido", disse Erixímaco, "que cada um beberá conforme sua medida, não havendo nenhuma obrigação, a próxima coisa que proponho é que dispensemos a *aulētris*[21] que acaba de chegar: ela que toque para si mesma ou, se desejar, para as mulheres lá de dentro, enquanto nós hoje conversaremos uns com os outros. E se for do vosso agrado, quero propor para nós o tipo de conversa".

(177a) Todos disseram que assim o desejam e pediram para Erixímaco propor o tema. Ele então disse: "O princípio do meu discurso é conforme a *Melanipa* de Eurípedes[22]: pois *o mito que quero contar não é meu, mas vem deste Fedro aqui*. Fedro, de fato, sempre reclama comigo e diz: 'Não é estranho, Erixímaco, que para outros deuses hinos e louvores tenham sido compostos pelos poetas, enquanto que para Amor, um deus tão antigo e grandioso, não foi composto um encômio[23] sequer por nenhum dos poetas que vieram a existir? **(177b)**. Veja os bons sofistas: a Hércules e a outros heróis prestam homenagens com textos em prosa, como o excelente Pródico[24], o que é menos espantoso do que o fato de eu já ter encontrado um livro de um sábio em que a utilidade do sal é tema de um extraordinário elogio – e se poderia encontrar uma porção de outras coisas desse tipo sendo celebradas. Assim, surpreende que a tais ninharias é dado **(177c)** um valor demasiado, mas até hoje nenhum homem jamais se atreveu a elogiar o Amor de modo digno. É desse modo que se negligencia um grande deus'. Penso que essas coisas foram bem ditas, meu caro Fedro. Desejo então oferecer-te a minha contribuição e satisfazê-lo, como também penso que, quanto a nós que estamos aqui, é o momento adequado para prestarmos homenagens ao deus. Assim, se estais de acordo comigo, teríamos nos discursos um objeto suficiente para nos mantermos ocupados **(177d)**. Penso, pois, que cada um de nós, começando da esquerda para a direita, deve exprimir um discurso em louvor do Amor, o mais belo que puder fazê-lo, e já que Fedro ocupa o primeiro lugar e é também o pai do tema de nossa conversa, ele deve começar."

"Ninguém irá votar contra ti, Erixímaco", disse Sócrates. "Suponho que nem eu poderia recusar, pois afirmo que o único objeto acerca do qual tenho conhecimento são **(177e)** os assuntos do Amor – nem Agatão ou Pausânias; tampouco Aristófanes, cuja ocupação é inteiramente sobre Dioniso e Afrodite. Nem qualquer outro destes aqui que estou vendo. Contudo, é diferente a condição dos que estaremos a falar por último. Mas, se os primeiros falarem de modo adequado e belo, bastará para nós. Então, deixemos que Fedro, com boa sorte, seja o primeiro e preste elogios ao Amor."

(178a) Estas palavras foram acolhidas por todos os demais, que ecoaram o pedido de Sócrates. Mas a totalidade do que cada um disse não foi inteiramente recordada por Aristodemo, assim como eu também não me lembro de tudo o que ele me contou. Vou dizer, porém, de cada discurso, o que é mais importante e me parece mais digno de menção.

Como estava dizendo, Aristodemo me contou que Fedro foi o primeiro a falar, mais ou menos nesses termos: "que o Amor é um grande deus, particularmente admirado pelos homens e pelos deuses de muitos e diferentes modos, sobretudo por sua origem **(178b)**. Pois está entre os mais antigos, o que é honroso para ele, e a prova disso é o seguinte: não existem genitores do Amor e nem há relatos de ninguém sobre isso, seja de indivíduos comuns ou de poetas. Assim, Hesíodo afirma que primeiro surgiu o Caos, depois,

A terra de seios largos, eterno assento de tudo o que existe, e Amor...[25]

E Acusilau[26] se alinha com Hesíodo ao dizer que após o Caos vieram a Terra e o Amor. Com respeito à origem, Parmênides diz,

Antes de todos os deuses ela[27] *concebeu* **(178c)** *Amor.*

Desse modo, de muitas fontes se concorda que Amor está entre os deuses mais antigos. Como o mais velho, é também para nós causa de muitos bens. Não sei se consigo dizer que bem maior há, aos que acabam de entrar na juventude, do que um bom amante e, ao amante, um amado igualmente virtuoso[28]. A verdade é que a linhagem, a honra, a riqueza ou qualquer outra coisa não podem fornecer, tão excelentemente, o necessário para guiar a vida dos homens que desejam vivê-la de modo belo, como o Amor o pode **(178d)**. Acerca do que estou falando? Sobre a feiura do que é vergonhoso e a honra do que é belo: sem essas coisas não há cidade ou indivíduo que possa empreender grandes e belas obras. Vou te dizer que qualquer homem apaixonado, quando flagrado praticando algo vergonhoso ou submetendo-se de uma forma indigna a alguém sem defender-se, nem se for visto pelo pai, companheiro ou qualquer outro sentirá a dor que **(178e)** vai sentir se for visto pelos amados. O mesmo se dá no caso do amado: fica particularmente envergonhado, diante dos que o amam, quando é visto fazendo algo reprovável. E se houver algum meio de constituir uma cidade ou exército de amantes e de amados, não haveria outra forma de conviverem como cidadãos além desta: abstendo-se de toda desgraça e cultivando entre si a honra. Além disso, se tais homens estivessem na batalha um ao lado do outro **(179a)**, venceriam virtualmente todos os demais, ainda que em menor número. Pois um homem apaixonado certamente aceitaria menos ser visto por seu amado deixando o posto ou jogando as armas do que sê-lo visto por qualquer outro; escolheria, no lugar disso, morrer muitas vezes. E quanto a deixar para trás o amado ou não ajudá-lo se estiver em perigo, não há ninguém tão covarde que o Amor não possa inspirá-lo para a virtude, de modo que se assemelhe ao mais excelente por natureza e, tal **(179b)** como resume Homero ao dizer que *o deus inspira força em alguns heróis*[29], eis o que o Amor infunde nos amantes como algo que brota de si mesmo.

E quanto a morrer pelo outro, é só o que querem os que amam, não apenas homens, mas também as mulheres. Alceste, filha de Pélias[30], confirma muito bem, para todos os helenos, o que estou dizendo. Somente ela se dispôs a morrer por seu marido, mesmo este **(179c)** tendo um pai e uma mãe. Ela os ultrapassou de tal modo em afeição, por meio do amor, que os fez parecerem estranhos ao próprio filho, sendo aparentados apenas em nome.
E esse ato se afigurou tão nobre, não apenas

aos homens, mas também aos deuses, que, embora vários tenham praticado muitas ações belas, foi a bem poucos que os deuses permitiram que a alma retornasse do Hades, mas a dela fizeram subir por causa dos seus **(179d)** atos. E assim também os deuses prestam uma honra particular ao zelo e à virtude relacionados ao Amor. Já Orfeu[31], filho de Eagro[32], teve que voltar do Hades sem completar sua tarefa; os deuses lhe mostraram apenas uma aparição da mulher que ele foi buscar lá. Não lha deram por ter se revelado fraco; pois, tocador de cítara, não teve a ousadia de morrer em nome do Amor como Alceste, mas planejou entrar vivo no Hades[33]. Por essa razão impuseram-lhe uma punição: o fizeram morrer nas mãos das mulheres. Não **(179e)** foi honrado como Aquiles[34], o filho de Tétis, que foi enviado para a Ilha dos Bem-Aventurados. De fato, tendo descoberto, por meio de sua mãe, que morreria se matasse Heitor, mas, não o matando, voltaria para casa e teria seu fim na velhice, teve a coragem de escolher, ao ajudar seu amante Pátroclo, vingando-o, não apenas morrer por alguém **(180a)**, mas por alguém que já tinha morrido. Disso se segue que os deuses, excessivamente admirados, o honraram de modo distinto, porque deu grande importância ao amante – Ésquilo, aliás, fala bobagem quando diz que Aquiles era o amante de Pátroclo: ele era mais belo, não somente mais belo do que Pátroclo, mas também do que todos os heróis; era ainda sem barba e, portanto, muito mais jovem, como diz Homero. Mas, em todo caso, se atualmente os deuses honram particularmente esse tipo de virtude em torno do Amor **(180b)**, muito mais admiram, estimam e fazem o bem quando o jovem amado mostra seu sentimento pelo amante do que quando ocorre o contrário. O amante é mais semelhante a deus do que o jovem amado, pois tem a divindade dentro dele. Por isso Aquiles foi mais honrado do que Alceste e enviado à Ilha dos Bem-Aventurados.

Desse modo, portanto, digo que o Amor é o mais antigo dos deuses e também o mais honrado e poderoso para a aquisição da virtude e da felicidade pelos homens, tanto em vida como na morte".

(180c) Este foi o discurso que Fedro pronunciou. Depois de Fedro outros discursos foram proferidos, mas Aristodemo absolutamente não se recordava muito bem dos detalhes. Passando por cima deles, relatou então o discurso de Pausânias, que disse o seguinte:

"Não penso ser bela, Fedro, a forma como nos apresentou o discurso: desse modo, contado simplesmente como um elogio do Amor. Pois, se o Amor fosse um só, o discurso estaria bem colocado. Mas o fato é que o Amor não é uma unidade; e se tal é o caso, o correto será antes de tudo dizer qual espécie **(180d)** se deve elogiar. Tentarei corrigir isso, dizendo primeiro qual Amor deve ser elogiado e, depois, elogiando-o como é digno a um deus. Todos sabemos, pois, que não há Afrodite sem Amor. Se ela fosse una, o Amor também o seria. Mas dado que há duas deusas, é necessário também haver dois Amores. E como não haveria duas deusas? Uma, com certeza a mais velha, não tem mãe e é filha de Urano. A esta nomeamos 'Urânia'. Quanto à mais nova, que é filha de Zeus e Dione, nós a chamamos 'Pandêmia'. Assim, é necessário que o amor que opera com a última Afrodite seja **(180e)** corretamente chamado de 'Popular' (*Pandēmon*), enquanto que o outro de 'Celestial' (*Ouranion*). Deve-se elogiar ambos os deuses, mas o que cada um tem como sua esfera particular é o que tentarei dizer. Com efeito, toda ação se dá do seguinte modo: quando desempenhada em si mesma, não é nem bela nem feia. Por exemplo, o que agora estamos **(181a)** fazendo: beber, cantar e conversar. Nenhuma dessas coisas é em si bela, mas se tornará ao ser praticada e pelo modo como o for. Sendo desempenhado de modo belo e com correção, torna-se belo; mas, do contrário, torna-se feio. Assim acontece também com o amar e com o Amor: não é qualquer um de seus casos que é belo e digno de ser elogiado, mas apenas o que impulsiona o amor de forma bela.

(181b) De modo que o Amor 'Popular' de Afrodite é verdadeiramente popular e se perfaz, seja lá o que ocorrer. É a ele que os homens comuns amam, primeiramente mulheres não menos do que os rapazes, depois seus corpos mais do que suas almas e em seguida amam os mais tolos o quanto forem capazes, olhando apenas para a realização do ato, sem qualquer preocupação se é belo ou não. De onde se segue que fazem o que lhes aprouver no momento, sem se importar se é bom ou se é o contrário. Este Amor **(181c)** é, de fato, da deusa que é de longe a mais jovem das duas, cuja geração possui características tanto da fêmea quanto do macho. O outro é o de Urânia. Antes de tudo, este não participa da fêmea, apenas do macho – é o amor dos rapazes. Além disso, é a mais velha, não tendo nenhuma participação em arroubos violentos. Por essa razão, os que estão inspirados por esse amor se voltam para o masculino e tomam afeição pelo que é mais forte por natureza e possui mais inteligência. De fato, mesmo entre homens que amam **(181d)** membros do próprio sexo se poderia reconhecer a pureza do que envolve os que estão sob esse tipo de amor. Amam os jovens apenas quando já começaram a desenvolver a razão, o que se dá no momento que lhes sai a barba. Penso, pois, que os que começam a amar nessa etapa estão preparados para passar toda a vida juntos e a viver em comum, sem ludibriar o jovem em seu êxtase juvenil e sem zombar dele enquanto já se sentem dispostos a partir em busca de outro.

Deveria existir uma lei que não permita **(181e)** o amor dos jovens garotos, de modo que não se dispenda tanto esforço para um propósito incerto. Pois, de fato, não é claro o destino dos rapazes nos fins a que chegam a parte de vício e de virtude que recebem em seu corpo e alma. Então, se os bons amantes, por conta própria, impõem a si mesmos esta lei, os praticantes do amor popular devem também ser forçados a isso, do mesmo modo que nós os impedimos, na medida **(182a)** em que podemos, de amar as mulheres de condição livre[35]. Estes são os responsáveis pela reprovação, a ponto de alguns falarem que é vergonhoso dar consentimento aos amantes. Falam isso tendo em mira estes homens, sobretudo ao verem todo o seu despropósito e comportamento inadequado, pois, certamente, qualquer coisa que for feita de modo harmonioso e com regra não será com justiça objeto de censura.

Além do mais, a lei sobre o amor nas outras cidades é fácil de ser entendida, pois foi definida de modo simples, mas aqui e na Lacedemônia são complexas **(182b)**. Na Élida e na Beócia, cujos habitantes não são hábeis no falar, foi estabelecido que é belo consentir aos amantes e ninguém, jovem ou velho, diria que é feio, o que penso ter sido decidido no propósito de evitar as dificuldades da persuasão aos jovens pela palavra, dado que nisso são deficientes. Dentro da Jônia e em tantos outros lugares, contudo, a visão que possuem os que vivem sob o domínio dos bárbaros[36] é a de que se trata de um hábito vergonhoso. De fato, entre os bárbaros a forma de governo tirânica os faz conceberem esse amor como feio e **(182c)** também os leva a condenar a filosofia e a prática dos ginásios[37]. Não acho que os governantes encarem como útil o nascimento de pensamentos grandiosos entre seus governados e tampouco amizades e associações firmes, justo o que o Amor, mais do que tudo, se esforça para criar. Isso, aliás, é algo que os déspotas daqui aprenderam pela experiência: o amor de Aristogitão por Harmódio e a amizade que este nutria por aquele tornaram-se tão fortes que levaram à derrocada da tirania[38]. Assim, onde foi estabelecido que é vergonhoso ceder aos amantes, trata-se de uma regra gerada pela **(182d)** maldade dos que a propuseram, em razão do desejo desenfreado de poder dos que governam e da covardia dos governados. De outro lado, onde se acreditou simplesmente que é belo, foi pela inércia dos que estabeleceram. Aqui, contudo, as normas propostas são muito superiores a estas, mas, como eu disse, não são fáceis de serem apreendidas. Pois considere o seguinte: foi dito ser mais belo amar às claras do que em segredo, especialmente os nobres e melhores, ainda que não sejam tão bonitos como os outros; além disso, o encorajamento dado por todos ao amante é espantoso: não se considera que **(182e)** ele esteja fazendo algo reprovável, pois obter êxito na conquista é visto como belo e não obtê-lo é visto como feio; e, ainda, no que se refere aos esforços de conquista, a lei deu ao amante oportunidade de ser louvado pelos atos extraordinários que cometeu, enquanto que, se outra pessoa ousasse, com esses mesmos atos, desejar e buscar a **(183a)** realização de qualquer outra coisa que não seja isso, seria objeto das mais fortes censuras[39]. Se, pois, querendo obter dinheiro de alguém, ou um posto de trabalho ou qualquer outra posição de poder que deseje, queira se comportar como os amantes diante dos amados – que fazem súplicas e preces em seus pedidos, juras solenes, permitindo-se dormir a portas fechadas, sujeitando-se a subserviências que nem mesmo os escravos iriam admitir –, ele seria compelido a não agir desse modo, tanto pelos (**183b**) amigos quanto pelos inimigos, alguns acusando-o de adulação e servilismo, outros aconselhando-o e sentindo-se envergonhados pelo que ele está fazendo. O amante, de seu lado, fazendo isso tudo é visto como responsável por um ato charmoso. E tem a garantia da lei de fazê-lo sem censura, como se estivesse envolvido em algo de absoluta importância. E, o que é mais extraordinário, conforme o que muitos dizem, é que, ao quebrar um juramento, somente ele é perdoado pelos deuses, pois estes consideram que juras de amor (**183c**) não têm validade. Assim, como diz a lei daqui, tanto deuses quanto homens providenciaram toda a oportunidade para o Amor, de modo que se poderia pensar que, nesta cidade, estar apaixonado ou demonstrar afeição pelos amantes é considerado um feito belíssimo. De outro lado, quando os jovens atraem amantes, os pais encarregam tutores da educação dos filhos e dão instruções expressas para que os tutores não permitam que os jovens conversem com os amantes. Além disso, os jovens da mesma idade e seus companheiros manifestam reprovação quando veem que esse tipo de coisa está acontecendo. Os que (**183d**) praticam tal reprovação, por seu lado, não são impedidos pelos mais velhos e nem repreendidos como quem não age corretamente, de modo que ao atentar para isso alguém pode pensar, ao contrário, que esse comportamento é visto aqui como o mais vergonhoso. Mas penso que ocorre o seguinte: como foi dito no começo, em si mesmo não há ação bela ou feia, mas é belo o que é belamente praticado e é feio o que é praticado com fealdade. O ato de ceder a uma pessoa vil com vileza é um caso do que é praticado com fealdade, e o ato de ceder a uma pessoa boa com bondade é um caso do que é praticado de modo belo. Então (**183e**), vil é aquele amante popular que ama sobretudo o corpo à alma: pois não é um amor constante, uma vez que também não é constante seu objeto. No mesmo momento que cessa a flor do corporal, precisamente o que ele amava, o amante também 'alça voo'[40], revelando o despropósito de tantas palavras e promessas. Já o amante que tem o bom caráter como objeto do seu amor permanece durante a vida, posto que se fundiu com **(184a)** o que é constante. Desses amantes, portanto, nossa lei quer fazer um bom e belo exame: a uns aquiescer, mas de outros escapar. Por isso os amantes são encorajados a perseguir e os amados encorajados a fugir, pois se instala uma competição ou teste para se verificar a qual das duas classes amante e amado pertencem. Essa é a razão pela qual, antes de tudo, ser conquistado rapidamente por um amante é considerado por nós vergonhoso. Entendemos que o tempo precisa se estabelecer, pois este nos parece, afinal, um excelente teste para todas as coisas. Além disso, também consideramos indecente se **(184b)** deixar conquistar pelo efeito do dinheiro ou da posição política, seja quando os amantes sofrem ameaças e submissões sem reação, como também nos casos em que, tratados amavelmente com apoio financeiro e político, não demonstram o devido menosprezo dessas coisas. Nenhum desses dois casos, pois, parece ser firme ou constante, sem mencionar que nenhuma amizade genuína nasce dessas situações.

Portanto, um só caminho resta em nosso costume, se o amado quiser aquiescer de modo decente ao amante. É uma norma que nós temos, a saber: assim como, no caso dos amantes, havia uma lei que não considerava adulação ou motivo de reprovação desejar se **(184c)** submeter voluntariamente, não importa de que forma, do mesmo modo só resta uma única servidão voluntária que não é objeto de censura: trata-se da que concerne à virtude.

De fato, entre nós se convencionou que se alguém deseja se pôr sob os cuidados de outro, por acreditar que através deste se tornará melhor em alguma forma de sabedoria ou em qualquer outra parte da virtude, segue-se, por sua vez, que essa escravidão voluntária não é vergonhosa nem adulatória. Estes dois costumes – o amor **(184d)** dos jovens e o amor da filosofia e de qualquer outra arte – devem, portanto, resultar em um só, caso se queira dar beleza ao ato do amado no momento que cede ao amor do amante. E quando amante e amado chegam ao mesmo ponto, cada um mantendo sua norma, de um lado, o amante estará justificado ao oferecer qualquer serviço ao amado que lhe gratificar. De outro, o amado irá acreditar que, ao ajudar de qualquer forma o que estiver tornando-o sábio e bom, ele também, por sua parte, estará fazendo-lhe justiça. Assim, um terá a capacidade de contribuir quanto à inteligência **(184e)** ou qualquer outra virtude, enquanto que o outro sentirá desejo de obtê-las com vista à educação e outras habilidades. Então, quando estas duas normas convergirem para o mesmo fim, somente nesse momento se dará o caso de ser belo o aquiescer do amado ao amante. De outra forma, jamais. Neste caso também o ser enganado não será vergonhoso. Mas, em todos os demais casos, gratificar amantes será **(185a)** vergonhoso, haja ou não o engano. Se alguém, portanto, supondo que o amante é rico, gratificá-lo por causa da riqueza, mas depois se ver enganado, sem dinheiro a obter porque a pobreza do amante foi revelada, isso não será objeto de menor vergonha. Pois parece que um indivíduo desse tipo revela seu próprio caráter e mostra estar disposto a oferecer qualquer serviço, para qualquer um, por causa de dinheiro, o que não é belo. Pelo mesmo argumento, se um indivíduo estiver gratificando alguém que supõe ser bom, de modo que pense que ele próprio irá se tornar melhor pela amizade daquele, mas for enganado, no caso em **(185b)** que o amante venha a se mostrar mau e não possuidor de virtude, igualmente bela será a fraude. Pois aqui também parece se dar o caso anterior: revela-se a tendência interna do sujeito, mostrando que estaria disposto a fazer qualquer coisa por causa da virtude e para se tornar melhor, o que, ao contrário, é o que há de mais belo. Assim, de qualquer forma é absolutamente belo gratificar um amante por causa da excelência moral. Esse é o Amor de Urânia, em si celestial, de muito valor para a cidade e para os cidadãos. Ele exige que **(185c)** se empreenda muito esforço, tanto do amante, no cuidado de sua própria excelência, quanto do amado. As demais formas de amor são todas da outra deusa, a popular.

Tal é a contribuição, Fedro, o quanto posso na presente cena, que te dou sobre o Amor".

Pausando então Pausânias – os especialistas me ensinam a falar assim, em termos simétricos[41] –, Aristodemo disse que Aristófanes deveria então falar, mas, não se sabe se foi pelo excesso de comida ou por outra coisa, ocorreu-lhe um acesso de soluço que o impediu de fazer o discurso. No divã abaixo dele reclinava-se o médico Erixímaco, e **(185d)** Aristófanes lhe disse:

"Erixímaco, tu és a pessoa certa, ou para interromper o meu soluço ou para falar no meu lugar, enquanto tento eu mesmo pará-lo".

E Erixímaco respondeu: "Na verdade, vou fazer as duas coisas. Vou falar na tua vez e tu, quando tiveres acabado o soluço, na minha. Durante minha fala, vejamos se o soluço cessa **(185e)**, enquanto segura tua respiração. Se não der certo, gargareja com água. Mas se ainda assim se mostrar muito forte, pega alguma coisa que permita coçar o nariz e espirra. Se fizeres isso uma ou duas vezes, mesmo o mais severo soluço irá parar".

"Começa a falar tão logo puderes", disse Aristófanes, "pois farei o que recomendaste".

Erixímaco[42] então disse o seguinte:

"Parece-me agora ser necessário, uma vez que Pausânias estabeleceu adequadamente seu discurso, mas não com completude suficiente, que eu deva tentar impor ao argumento um **(186a)** acabamento (*telos*). Penso ter sido bem-escolhida a distinção quanto à natureza dupla do Amor. Contudo, que não há somente amor no caso das almas dos homens atraídos pela beleza dos corpos[43], mas também com relação a muitos outros aspectos e em muitas coisas, nos corpos de todos os animais, no que é produzido pela terra e, por assim dizer, em todas as coisas que existem, é o que eu mesmo observei da perspectiva da arte da **(186b)** medicina, cuja prática exerço e de onde se pode ver o quão grande e admirável o deus é, estendendo-se tanto à área das coisas humanas como também nos assuntos divinos. Vou começar falando, portanto, do ponto de vista da medicina, também para que lhe demos um lugar de honra. Estão na natureza dos corpos estas duas formas de Amor e nós concordamos que as partes sadia e doente dos mesmos são coisas distintas e dessemelhantes; com efeito, o dessemelhante tem desejo e amor pelas coisas dessemelhantes. Portanto, no caso do corpo sadio, o amor é um, no caso do corpo doente, o amor é outro. E assim, como há pouco Pausânias dizia que é nobre gratificar os bons **(186c)** homens, mas vergonhoso gratificar os incorrigíveis, o mesmo se dá nos corpos. É nobre e mesmo necessário gratificar as partes boas e sadias dos corpos e é isto que recebe o nome de medicina, mas é vergonhoso dar gratificação às partes ruins e alguém que queira ser um verdadeiro praticante da medicina deve se abster disso. Pois a medicina, para falar de modo resumido, é o conhecimento das operações do amor no que respeita à saciedade e vacuidade[44]. O homem capaz de distinguir nos corpos o amor nobre (**186d**) e o amor reprovável, este é o verdadeiro médico. E o homem que sabe como operar uma mudança a ponto de fazer o corpo possuir um amor no lugar do outro, engendrá-lo onde não existe ou extirpá-lo se for o caso, será um bom profissional. De fato, ele precisa ser capaz de tornar amigos os elementos do corpo mais hostis e fazê-los se amarem mutuamente. Os mais hostis são os mais opostos: o frio ao quente, o amargo ao doce, o seco ao úmido e assim por diante. Foi porque chegou a saber como dar a tais opostos amor e unidade que nosso ancestral Asclépio, como dizem estes poetas aqui[45] e eu mesmo (**187a**) acredito, constituiu a nossa profissão. A arte da medicina, portanto, como estou dizendo, é plenamente governada por este deus do Amor, assim como também é a ginástica e a agricultura.

É claro a todos, mesmo aos que prestam pouca atenção no assunto, que a música está na mesma condição que acabo de descrever, o que talvez também Heráclito quisesse dizer, embora não tenha usado bem os termos. Ele diz, com efeito, que o Um 'nele mesmo se diferenciando, está de acordo consigo, como a harmonia do arco e da lira'. Há, de fato, muita irracionalidade em dizer que a harmonia está em desacordo consigo mesma ou que vem (**187b**) a ser a partir de elementos discordantes. Mas provavelmente ele desejava dizer isto: graças à técnica musical, a harmonia foi gerada do grave e do agudo, os quais, num primeiro momento, estavam em desacordo, mas depois se combinaram. Pois não é, com certeza, a partir do agudo e do grave em discordância que a harmonia vem a ser; harmonia é consonância[46] e consonância é certo acordo, sendo que será impossível haver acordo de elementos que variam enquanto estão neste estado. De outro lado, é impossível harmonizar o que não cessa de variar e não concorda – como ocorre, aliás, com o ritmo, que provém do **(187c)** rápido e do lento, os quais, num primeiro momento, estão diferenciados e depois são postos em acordo. E o acordo, em todos esses casos, como o que eu disse se dar na medicina, neste caso aqui é a música que estabelece, impondo concórdia e amor mútuos. A música, por sua vez, no que se refere à harmonia e ritmo, é conhecimento dos fenômenos amorosos. De resto, não é nada difícil identificar os fenômenos amorosos na própria construção do ritmo e da harmonia, embora ainda não tenhamos aqui a presença do amor duplo[47]. No entanto, quando for preciso aplicar ritmo e harmonia à vida social dos homens, seja criando música nova – o que chamamos **(187d)** 'composição musical' –, seja quando se faz uso apropriado nos tons e medidas já compostos – a chamada 'educação' –, é então nestes casos que há dificuldade e haverá necessidade de um bom profissional. O mesmo argumento novamente nos detém: que aos homens bem-ordenados – e para que possam se tornar mais bem-ordenados os que ainda não são – deve-se gratificar e zelar por seu amor. Isso é o belo, o celestial, o Amor da **(187e)** deusa Urânia; quanto ao amor popular, que provém da musa Polímia, o indivíduo deve ser cauteloso em qualquer coisa que for aplicá-lo, de modo que o prazer proveniente dele possa ser experimentado sem que nenhuma licenciosidade seja implantada. De modo similar, em nossa técnica médica, no que toca aos apetites da arte culinária, é uma grande tarefa lidar com eles de modo apropriado, a fim de que o prazer seja sentido sem efeitos nocivos. E assim na música, na arte médica e em todas as demais tarefas, sejam humanas ou divinas, deve-se, o quanto se permite, zelar pelas duas formas de amor, pois ambas **(188a)** estão presentes; mesmo as composições das estações dos anos têm uma boa medida destes dois amores. E quando aqueles elementos que acabo de mencionar[48] – o quente e o frio, o seco e o úmido – são tomados de amor bem-ordenado um pelo outro, eles recebem harmonia e proporção adequada, levando assim saúde e ótimos resultados aos homens, animais e plantas, sem danos. Mas se é o Amor violento que se torna **(188b)** dominante nas estações do ano, há muita destruição e prejuízo. Pragas tendem a surgir desses efeitos e também muitas e diferentes formas de doenças nos animais e plantas.

E dos excessos e desordem verificados na relação destes amores entre si surgem geadas, chuvas de granizo e ferrugem, cujo conhecimento sobre os movimentos dos astros e das estações do ano chamamos 'astronomia'. E, além disso, todos os sacrifícios, além do que **(188c)** constitui o campo de aplicação da arte divinatória – a saber: a associação mútua entre deuses e homens –, tudo isso não é outra coisa do que temas relacionados à proteção e cura do Amor. E toda forma de impiedade tende a surgir se, ao invés de gratificar o Amor bem-ordenado, prestando-lhe honra e reverenciando-o em toda ação, o indivíduo se volta para o outro Amor; seja a impiedade dirigida aos pais, vivos ou mortos, seja a que se dirige aos deuses. De fato, com respeito a isso tem sido uma função atribuída à arte divinatória examinar os que estão sob efeito do amor e curá-los. De outro lado, a arte divinatória é **(188d)** também criadora de boas relações entre deuses e homens. Ela o faz por meio do entendimento do quanto os assuntos amorosos entre os homens propagam aspectos de justiça e piedade.

Desse modo, grandioso e poderoso, ou antes, em síntese, o Amor em sua completude, possui todo o poder. Mas o Amor que se volta às coisas boas e se realiza nelas com temperança e justiça, entre nós como entre os deuses, é o que possui o poder mais grandioso; é este que nos prepara toda a felicidade, capacitando-nos a conviver e sermos amigos, uns dos outros e com os mais fortes que nós, os deuses. Assim, talvez eu **(188e)** também tenha deixado muita coisa de lado ao elogiar o Amor, mas foi absolutamente sem querer. Contudo, se algo omiti, é tua tarefa, Aristófanes, completar o discurso. Se, porém, tens em mente outro modo de fazer o elogio ao deus, elogia-o, já que fizeste parar o teu soluço".

(189a) Segundo Aristodemo, assumindo o discurso, Aristófanes disse:

"O soluço, com certeza, fez pausa, apesar de não ter sido antes de aplicar-lhe o espirro, de modo a me espantar que a boa ordem do corpo deseje tais ruídos e coceiras, como é o caso do espirro, pois de fato parou por completo assim que o apliquei".

E Erixímaco respondeu-lhe: "Meu bom homem, observa o que estás fazendo. Produzes gracejos no momento em que vais começar a falar e me obrigas a vigiar tuas **(189b)** palavras para ver se dirás algo engraçado, quando te é permitido falar de modo tranquilo e sem interrupção".

Aristófanes riu e disse: "Falaste bem, Erixímaco. De minha parte, que seja ignorado o que foi dito. Não há necessidade de que me vigies pelo que vou dizer, pois eu mesmo estou ansioso sobre isso e não temo que seja engraçado o que vai ser dito – o que seria proveitoso e típico de nossa musa –, mas meu temor é que seja desprezível".

E Erixímaco disse: "Tu realmente pensas que poderás escapar apenas por ter-me lançado uma flecha, Aristófanes? Presta atenção no modo como irás fornecer a explicação (**189c**) do tema. Assim talvez, se me agradar, eu te libertarei".

"Pois bem, Erixímaco", disse Aristófanes, "tenho a intenção de seguir uma linha de exposição diferente desta que tu e Pausânias adotastes. De fato, parece-me que os homens absolutamente não entenderam o poder do Amor, pois, se tivessem percebido, seguramente iriam construir para ele grandes templos e altares e lhe ofereceriam vultosos sacrifícios. Não seria como agora, quando não se faz nada disso em nome dele, apesar de o merecer mais do que qualquer outro. Trata-se, na verdade, do mais filantrópico dos (**189d**) deuses, nosso ajudante e médico daqueles males cuja cura proporciona grandiosa felicidade ao gênero humano. Vou tentar, portanto, explicar-vos os poderes do Amor, e vós, de seu lado, podereis ensinar a outros. Deve-se, antes de tudo, apreender a anatomia humana e o que ela veio a suportar. O fato é que antigamente nossa anatomia era diferente da que se vê hoje. Primeiro, não havia apenas dois sexos – masculino e feminino, como (**189e**) agora –, mas três. Do terceiro, que tinha elementos comuns a ambos, resta-nos apenas o nome, posto que não existe mais. Naquele tempo, então, existia o andrógino, distinto dos demais sexos na forma e na designação, tendo partes do macho e da fêmea. Hoje ele é conservado apenas como um nome objeto de desprezo[49]. Depois, a forma de (**190a**) qualquer indivíduo do gênero humano era um todo circular, com as costas e os lados em círculo, tendo quatro mãos e o mesmo número de pernas. Tinha duas faces sobre o pescoço torneado, em tudo semelhantes, e uma cabeça sustentando as duas faces, as quais estavam voltadas para direções opostas. Tinha ainda quatro orelhas, dois sexos e outras características que se pode imaginar a partir destas. Locomoviam-se de modo ereto, como fazemos hoje, em qualquer direção que quisessem. E quando lançavam a si mesmos numa rápida corrida, se apoiavam nos oito membros e giravam com velocidade, da mesma forma que os acrobatas dão cambalhotas com as pernas eretas em movimentos circulares.

A razão de serem três sexos e de apresentarem tais características é a seguinte **(190b)**. Originariamente, o masculino era filho do sol, o feminino da terra, e o que tinha uma parte de ambos era filho da lua, uma vez que a lua também tem características do sol e da terra. Assim, porque se assemelhavam a seus genitores, eles próprios eram redondos e sua locomoção era circular. Eram, portanto, temíveis na força, no vigor e tinham pensamentos ambiciosos. Mas fizeram uma investida contra os deuses e o que Homero diz de Elfiates e de Otes[50] foi dito em referência a eles: sobre como fizeram uma tentativa **(190c)** de escalada ao céu com o propósito de atacar os deuses. Então Zeus e outras divindades deliberaram sobre o que fazer com eles, o que gerou um impasse. Sentiam que não podiam matá-los e aniquilar a raça inteira com raios, como fizeram com os gigantes, porque as honras e sacrifícios que recebiam dos homens também iriam desaparecer. De outro lado, não podiam tolerar a insolência. Assim, depois de muito esforço, Zeus teve uma ideia: 'Penso ter encontrado um plano', disse, 'sobre como os homens podem ao mesmo tempo existir e se livrarem da insolência. É preciso enfraquecê-los. Agora, com **(190d)** efeito', continuou, 'vou cortar cada um deles em dois, o que, ao mesmo tempo, irá torná-los mais fracos, além de úteis a nós, pois são em maior número. Andarão eretos sobre duas pernas. Caso insistam em se comportar de modo ultrajante e não queiram manter a calma, novamente', disse, 'vou cortá-los em dois, de forma que andarão sobre uma só perna, pulando'. Tendo dito essas coisas, ele começou a cortar os homens (**190e**) em dois, como se partem as sorvas para conserva ou como os que cortam ovos com cabelo[51]. E, a cada vez que cortava, alguém pedia a Apolo para voltar o rosto e a parte do pescoço na direção do corte, a fim de que, contemplando sua própria mutilação, tivesse um comportamento mais moderado. Ele também pediu a Apolo para que curasse as demais feridas. Apolo então girava a face e puxava a pele de todos os lados para o que agora chamamos 'ventre' e, como se faz com uma bolsa lacrada por um cordão, ele amarrava a pele numa abertura feita no meio do ventre, que hoje chamam 'umbigo'. Deu (**191a**) polimento às outras numerosas rugas e modelou os peitos com um instrumento semelhante ao que os sapateiros usam para dar forma às pregas dos sapatos. Deixou, contudo, algumas rugas, as que estão em torno do ventre e do umbigo, para que seja uma lembrança das características que tinham anteriormente. Então, desde que a anatomia original de cada ser humano foi cortada em duas, cada uma das partes desejava a outra metade de si mesma e a ela buscava se unir. Uma jogava os braços em volta da outra, enlaçando-se mutuamente, num desejo de permanecerem para sempre juntas. Começaram (**191b**) a morrer de fome e de inatividade por não quererem fazer nada longe uma da outra. E sempre que uma das duas morria, deixando a outra sozinha, a que restava procurava outra e com esta se envolvia, seja a metade encontrada que pertencia originalmente ao todo de uma mulher, como nós hoje a chamamos, ou a metade original de um homem. E desse modo a espécie ia se aniquilando. Então Zeus, tomado por piedade, providencia outro expediente: muda seus genitais para a frente. Até então eles tinham os genitais alojados no lado exterior de seus corpos e a geração e a reprodução (**191c**) não se dava por contato físico, mas na terra, como as cigarras. Ao colocar o sexo na frente deles, Zeus permitiu que a reprodução fosse por intercurso mútuo através dos genitais, o macho na fêmea, tendo em vista o seguinte. No intercurso mútuo, se um homem encontrasse uma mulher, poderia conceber nela e continuar a raça, mas se fosse um intercurso de um homem com outro homem, que ao menos pudessem encontrar satisfação e relaxamento nesta união, para então se voltarem às suas tarefas e se dedicarem aos demais aspectos de suas vidas. Assim, é de muito tempo atrás que o amor (**191d**) de um pelo outro tem sido inato entre os seres humanos. É um amor restaurador de nossa antiga anatomia, ao mesmo tempo em que tenta fazer uno o que é duplo e curar a natureza humana. Cada um de nós é, portanto, uma peça partida[52] de um ser humano, uma vez que cada um de nós foi cortado como as partes dos peixes que são talhados ao meio: uma metade de um todo. Cada peça partida está constantemente procurando, portanto, sua outra metade. Assim, todos os homens que são um corte do gênero combinado – os que então eram chamados 'andróginos' – sentem amor por mulheres e muitos dos adultérios são originados dessa espécie, assim como, de seu lado, as mulheres que gostam de homens (**191e**) e as adúlteras surgem desse tipo. Todas as mulheres que são corte de um todo originalmente feminino não prestam muita atenção nos homens, mas estão sobretudo voltadas às mulheres, e é dessa espécie que nascem as lésbicas. De seu lado, os machos que são cortados originalmente de um todo masculino perseguem os homens. Uma vez que são uma fatia do masculino, enquanto são jovenzinhos desenvolvem afeição pelos homens e se regozijam em se deitar e se entrelaçar com eles. E estes, ainda na (**192a**) juventude e na flor da idade do ser macho, são os melhores por serem corajosos por natureza. Alguns, aliás, falam que estes jovens são despudorados, mas isso não é verdade, pois não é por falta de vergonha que agem assim, mas por autoconfiança, coragem e masculinidade, acolhendo em sua conduta o que é semelhante a eles. Há uma evidência substancial disso: são unicamente estes que, quando amadurecem, se tornam homens capazes de se encaminhar para a política. E quando se tornam adultos enamoram-se de **(192b)** jovens, não dando importância, por inclinação natural, ao casamento e à produção de filhos, embora sejam forçados a tal pelo costume. Mas é o bastante, para eles, passar a vida um com o outro, sem matrimônio. Em todo caso, um homem desse tipo se torna amante de jovens ou objeto de desejo de homens adultos, sempre acolhendo com prazer os da própria estirpe. E quando um deles se encontra com a outra parte atual de si mesmo, tanto o amante de jovens quanto qualquer outro, é nesse momento então que extraordinárias emoções **(192c)** de afeição, intimidade e amor os atordoam e eles não querem, por assim dizer, se afastar um do outro por um momento que seja. São estes os casais que passam toda a vida unidos, apesar de nem serem capazes de dizer o que um quer do outro. Ninguém iria pensar que esse amor é puramente físico, como se fosse por essa razão que cada um se regozijasse na companhia do outro, com tão grande entusiasmo. Claramente é outra coisa que a alma de cada um quer, algo que não pode ser expresso em palavras – é um desejo que a alma **(192d)** aprende instintivamente e comunica por enigmas. Supõe que Hefesto[53], com seus instrumentos, se ponha diante deles, no lugar em que estão deitados juntos, e pergunte: 'Homens, o que é que quereis obter um do outro?' Eles terão dificuldade para responder. E se novamente ele perguntar: 'É isto, afinal, o que desejais: estardes sempre juntos, o quanto for possível, de modo que dia e noite um não irá abandonar o outro? Pois se é isso que quereis, estou disposto a fundir-vos e forjar-vos no **(192e)** mesmo ser, de forma que de dois vos torneis um e, enquanto durar vossa existência, sendo um só possais ambos viver a vida em comum. E quando morrerdes, em vez de dois sereis um também lá no Hades e partilhareis a mesma morte. Agora, observai se esse é o tipo de amor pelo qual ansiais e se ficaríeis satisfeitos de obtê-lo'.

Nós sabemos que ninguém, tendo ouvido essas palavras, iria objetar a seu conteúdo ou mostrar-se como alguém que procura outra coisa, mas simplesmente iria pensar ter ouvido isso que, afinal, há muito vem desejando: unir-se e fundir-se com o amado de forma a se tornar um de dois. A razão disso é, de fato, que nossa antiga natureza era essa que descrevemos e **(193a)** éramos um todo. Portanto, é ao desejo e procura do todo que se dá o nome de Amor. Anteriormente, como estou dizendo, éramos um, mas agora, por causa de nossos atos errados, estamos separados por uma ação do deus, como os árcades o foram pelos lacedemônios[54]. Assim, há o temor de que, se não formos bem comportados diante dos deuses, sejamos novamente divididos em dois e andemos por aí, parecendo as pessoas retratadas em baixo-relevo nas estelas: serrados na linha do nariz ou partidos como os símbolos[55]. Por essa razão, todo homem deve exortar a reverência **(193b)** aos deuses em todas as coisas, a fim de que evitemos o pior destino e acolhamos o melhor, abraçando o Amor como nosso guia e líder. Que ninguém aja se opondo ao Amor – e age de tal modo todo aquele que se torna odioso aos deuses –, pois, nos tornando amigos do deus e reconciliados com ele, encontraremos e nos uniremos a nossos próprios amados, algo que hoje poucos conseguem.

Espero que Erixímaco não interprete meu discurso como comédia, como se estivesse me referindo a Pausânias e Agatão – talvez também estes pertençam a essa **(193c)** categoria e sejam ambos, na origem, verdadeiramente masculinos –, mas meu discurso toma a todos como objeto, homens e mulheres, no sentido de que é assim que nos tornaremos felizes: se pudermos realizar plenamente aquele amor no qual cada um de nós encontra seu amado e retorna a seu estado original. Se isso é o ideal, então é necessário que o que mais se aproxima dele seja o melhor nas presentes circunstâncias: isso significa, portanto, encontrar um amado cuja natureza está de acordo com nosso **(193d)** próprio caráter. Se formos, efetivamente, glorificar o deus responsável por isso, é ao Amor que mais justamente devemos oferecer homenagens. É o Amor que no momento presente nos concede os maiores benefícios, conduzindo-nos ao que nos pertence originalmente. E no que concerne ao futuro, ele nos dá grandes expectativas de que, se nos mantivermos piedosos com os deuses, seremos reconduzidos a nossa verdadeira natureza e, depois de nos curar, ele nos fará abençoados e felizes.

Esse, Erixímaco, é meu discurso sobre o Amor, diferente do teu", disse Aristófanes. "Como eu te pedi, não o tomes como comédia, de modo que também ouçamos cada um dos restantes, ou melhor, cada um dos dois, pois restam somente Agatão e **(193e)** Sócrates".

"Serei persuadido pelo que tu pedes", disse Erixímaco, de acordo com Aristodemo. "De fato, achei muito prazeroso o que foi dito. Se eu não soubesse que Sócrates e Agatão são admiravelmente hábeis nos temas de amor, teria grande temor de que não encontrassem mais argumentos, tendo em vista a extensão e diversidade já expressas. Mas estou confiante neles."

(194a) Sócrates então disse: "É que competiste belamente nos discursos, Erixímaco! Mas se estivesses na posição em que estou agora, ou melhor, na qual talvez estarei, quando também Agatão tiver falado bem, tu estarias de fato muito preocupado e em completo desespero, como estou no momento".

"Tu queres me enfeitiçar, Sócrates", disse Agatão, "a fim de que eu me perturbe no pensamento de que a audiência tem grande expectativa com base no que vou dizer".

(194b) "Quão desmemoriado eu seria, Agatão", disse Sócrates, "se, tendo visto tua bravura e autoconfiança ao subir na plataforma do teatro com os demais atores, olhando diretamente para a enorme multidão à tua frente, sem esboçar qualquer surpresa, estando prestes a exibir ali teu discurso, eu agora fosse imaginar que ficarias confuso por causa de tão poucos homens como nós".

"Como assim, Sócrates?", disse Agatão. "Certamente não pensas que estou tão obcecado com o teatro a ponto de ignorar que, a quem tem juízo, a sensatez de poucos é mais temível do que uma multidão de insensatos."

(194c) "Não seria uma atitude digna de minha parte", disse Sócrates, "pensar de ti algo assim impolido. Ao contrário, bem sei que se te deparasses com pessoas a quem tomasses como inteligentes, irias dedicar-lhes mais atenção do que à multidão. Contudo, talvez nós não sejamos desse tipo – estávamos, pois, lá na audiência e éramos da multidão –, mas se fosse com outros, digamos inteligentes, pode bem ser que viesses a sentir vergonha diante deles, se talvez pensasses estar fazendo algo errado, não é?"

"Dizes a verdade", respondeu Agatão.

"E não sentirias vergonha do público em geral se imaginasses estar fazendo algo reprovável?"

(194d) Nesse momento, disse Aristodemo, Fedro tomou a palavra: "Meu caro Agatão, se responderes a Sócrates, não fará nenhuma diferença para ele qualquer das coisas que venham a ser propostas aqui, contanto que ele tenha alguém com quem conversar, especialmente se for um belo. Eu mesmo gosto de ouvi-lo discursar, mas é preciso que eu me dedique ao elogio do Amor e apreenda a exposição exata de cada um aqui. Quando cada um de vós tiverdes dado ao deus o que é devido, então poderão dialogar".

(194e) "Falaste bem, Fedro", disse Agatão. "Nada me impede de falar e haverá muitas oportunidades mais tarde para Sócrates dialogar. Quero primeiro dizer como devo proceder no meu discurso e só então fazê-lo. Pareceu-me que todos os expositores anteriores não estavam elogiando o deus, mas congratulando os homens pelas boas coisas acerca das quais ele é a causa. Sobre que tipo **(195a)** de natureza ele tem, que o torna capaz de conceder tais coisas, ninguém falou. Mas o único modo correto de fazer um elogio a qualquer um é discorrer primeiro sobre que espécie de natureza no objeto do discurso torna-o responsável pelas coisas que nele elogiamos[56]. Sendo assim, no caso do Amor, é justo agora que primeiro digamos o que ele é e só depois falemos de seus dons. Eu sustento que, enquanto todos os deuses são felizes, o Amor – se me concedem dizer isso sem incorrer em ofensa – é o mais feliz de todos eles, pois é o mais belo e o mais excelente. É o mais belo por isso: primeiro **(195b)**, trata-se do deus mais jovem, Fedro[57]. Uma prova importante disso é fornecida por ele próprio, quando se afasta em fuga da velhice – e é evidente que esta avança com rapidez. De todo modo, chega até nós mais rápida do que devia. Mas por natureza o Amor a odeia de fato e dela sempre mantém grande distância. Com os jovens, contudo, está sempre em **(195c)** contato e é um deles, como bem coloca o antigo provérbio: *O semelhante sempre anda com o semelhante.* Pois, embora eu concorde com Fedro em muitas coisas, não concordo com isso: que Amor é mais velho do que Crono e Jápeto, mas digo que é o mais jovem dos deuses e sua juventude perdura. Quanto àquelas antigas histórias que Hesíodo e Parmênides contam sobre os deuses, ocorreram por *Necessidade*, não por Amor, se é que falaram a verdade. Não teriam, pois, ocorrido castrações, prisões e outros atos violentos se Amor estivesse entre eles. Haveria amizade e paz, como tem sido agora, desde o tempo que *Erōs* é o rei entre os deuses. Assim, ele é jovem e além disso é delicado. Ele não tem, porém, um poeta como Homero para apresentar a extensão de sua **(195d)** delicadeza. Pois Homero afirma que Ate é uma deusa, que é delicada e que pelo menos seus pés são delicados. Ele diz: *seus pés são verdadeiramente delicados; pois não se aproxima sobre o solo, mas anda sobre a cabeça dos homens.* Desse modo, com uma bela prova, Homero revela a delicadeza da deusa. Ela não caminha sobre nada duro **(195e)**, mas sobre o que é macio. A mesma prova nós, efetivamente, usaremos para indicar que o amor é delicado. Com efeito, ele não caminha sobre a terra ou sobre cabeças, que nem são absolutamente macias, mas anda e faz sua morada nas coisas mais macias que existem. Assim, nos costumes e nas almas de deuses e homens ele estabeleceu sua casa. E nem o fez em todas as almas que se apresentam para tal, pois se afasta de qualquer uma que revele um costume rude e inflexível. Mas quando encontra uma alma que apresenta leveza, ali ele se estabelece. Desse modo, ele sempre está tocando com seus pés e com o todo de si mesmo o que é macio, sobretudo nos lugares de maior **(196a)** maciez, sendo que, necessariamente, ele é o que há de mais delicado. Assim, é muito jovem e muito terno e além disso sua forma é maleável. Pois, se fosse inflexível, não poderia de nenhum modo encobrir a todos nós, nem entrar e sair secretamente de toda alma, como ele faz. Um sinal de sua excelente forma e fluidez é a graciosidade, qualidade que todos reconhecem que o Amor possui de modo distinto. Pois a falta de modos e o Amor estão sempre em guerra um com o outro. Além disso, a beleza de sua pele testemunha que o deus vive entre as flores, pois ele não se estabelece em nada, seja alma ou corpo, que não possa ter **(196b)** florescimento ou que tenha fenecido. Mas onde quer que haja abundância de flores e de fragrância, lá ele se instala e permanece.

Sobre a beleza do deus isso é suficiente, embora ainda reste muito a ser dito. Depois disso, falta tratarmos da excelência moral do deus[58]. O ponto mais relevante é que o Amor não comete injustiça contra homem ou deus e nem sofre injustiça de ambos. Nada feito a ele o é por força; quando ele faz algo, tampouco age por força. Força e Amor não se relacionam entre si, pois todos desempenham qualquer serviço ao Amor de modo **(196c)** voluntário e 'as leis reais da cidade'[59] declaram ser justo o que alguém voluntariamente consente com alguém. Junto com a justiça, o Amor possui temperança[60] em grande medida. Há, pois, consenso de que a temperança é o domínio sobre prazeres e desejos e que nenhum prazer é superior ao Amor. Se os prazeres fossem fracos, seríamos dominados por Amor e ele teria sobre eles o poder. Justamente porque o Amor domina prazeres e desejos, ele se diferencia excepcionalmente em temperança. No **(196d)** que se refere à coragem[61], 'nem mesmo Ares lhe faz oposição'[62]. Pois Ares não consegue aprisionar o Amor, mas é o Amor que captou Ares – o Amor de Afrodite, ao menos conforme conta a lenda[63]. O que aprisiona é mais forte do que o que é aprisionado; e o que domina aquele que mostra mais bravura entre todos, deve ser ele próprio o mais corajoso.

Assim, estive falando sobre a justiça, temperança e coragem do deus, faltando falar, contudo, sobre sua sabedoria[64]. Na medida do possível, vou tentar fazer um discurso livre de omissões sobre esse tema. Antes de tudo, para que também eu possa honrar minha técnica, como Erixímaco honrou a dele, permiti-me dizer que o deus é tão excelente **(196e)** na poesia que transforma outros em poetas. De toda forma, qualquer um se torna um poeta por seu toque, 'mesmo se for estranho às musas'[65], o que é efetivamente apropriado para usar como evidência de que o Amor é um criador habilidoso em cada criação referente às artes. Pois o que não se possui ou não se sabe não poderia ser cedido ou ensinado a outro. E quem vai negar que é pela sabedoria do Amor que **(197a)** nascem e crescem todos os animais? Será que não sabemos que na prática das técnicas todo homem que tem esse deus como professor torna-se famoso e brilhante, ao passo que o que não é tocado pelo deus torna-se obscuro? E foi sob a orientação do Amor e do desejo que Apolo inventou a arte do arqueiro, da medicina e da adivinhação, de modo que até mesmo ele pode ser considerado um pupilo do Amor. Do mesmo modo o são a **(197b)** arte das musas, a metalurgia de Hefesto, a tecelagem de Atena e o governo de Zeus sobre deuses e homens. De onde se vê que os assuntos dos deuses foram regrados com o surgimento de Amor – obviamente o amor da beleza, pois não há nenhum desejo no feio. E no tempo anterior a isso, como dissemos no começo, muitas coisas terríveis foram cometidas entre os deuses, como se conta, dado que eram regidos pela *Necessidade*. Mas, uma vez que esse deus veio ao mundo, tudo o que é bom passou a existir para os deuses e para os homens a partir do amor das belas coisas.

(197c) Assim, penso, caro Fedro, que o Amor não só é ele mesmo supremo em beleza e excelência, mas também é a causa dessas qualidades em todas as demais coisas. E agora vem sobre mim o desejo de dizer algo em versos, que ele é o que cria:

Paz entre os homens, calmaria no mar aberto,
Descanso para os ventos e sono nos problemas.

(197d) Pois é ele que nos arranca o sentimento de estranheza e nos preenche com afeição. Ele é a causa de nossa associação um com o outro em reuniões como essa na qual estamos. Ele é o espírito guia em festas, coros e sacrifícios. Move-nos para a gentileza e afasta de nós a rudeza. É pródigo de bem-querer e incapaz de malquerer. É propício e bom, observado pelos sábios e admirado pelos deuses. É invejado pelos excluídos, conquistado pelos incluídos. É o pai da luxúria, esplendor, delicadeza, requinte, desejo e ardor. É esforçado no que é bom e negligente no que é mau. No trabalho, no temor, no ardor ou nos discursos **(197e)** é timoneiro, combatente, companheiro em armas e salvador sem igual, que concede ordem a todos os deuses e homens. O mais belo e excelente guia, alguém que todo homem deveria seguir, cantando belamente seus hinos e tomando parte nas canções cantadas por ele, com o propósito de seduzir o pensamento de deuses e homens.

Este é, então, Fedro, meu discurso a ser dedicado ao Deus. Em alguns aspectos é engraçado, mas em outros é também sério, o quanto sou capaz."

(198a) Aristodemo disse que, quando Agatão terminou, todos os presentes aplaudiram, por ter o jovem falado de modo adequado a si mesmo e ao deus. Sócrates então disse, olhando para Erixímaco:

"Muito bem, filho de Acúmeno, então te parece que foi indevido o temor que senti anteriormente? Não fui profético quando há pouco disse que Agatão iria falar de modo espetacular, ao passo que eu o faria com embaraço?"

"Penso que, por um lado, profetizaste ao dizer que Agatão falaria bem", disse Erixímaco, "mas quanto a te embaraçares, não creio".

(198b) "Mas, querido amigo", disse Sócrates, "como não vou pensar que ficarei embaraçado, eu e qualquer outro, sabendo que devo falar após ver proferido tão belo e multifacetado discurso? Não que outras partes não sejam igualmente espantosas, mas quem não ficaria perturbado ouvindo a parte final, por causa da beleza dos termos e frases? Como fiquei refletindo que eu mesmo não seria capaz de fornecer um discurso nem sequer perto da beleza deste, foi por pouco que não ia me retirando, por vergonha **(198c)**, se tivesse algum modo de fazê-lo. Esse discurso me lembrou o de Górgias, tanto que senti o que Homero[66] descreve: tive medo que Agatão, ao concluir seu discurso, desafiasse o meu com a eloquência de Górgias e me enviasse a cabeça do sofista, esse magnífico orador, de forma a me transformar em pedra, incapaz de proferir palavra. E foi quando percebi o quanto fui tolo por ter concordado convosco em tomar parte no elogio **(198d)** do Amor e em dizer que eu era *expert* nas questões eróticas[67], mesmo não sabendo nada do tema ou sobre como se deve produzir um encômio[68] de qualquer coisa. Pois, por ingenuidade, eu acreditava que se devia falar a verdade sobre cada tópico do encômio e que isso deveria ser a base. Daí então, tendo como referência essa verdade, escolher as propriedades mais belas e arranjá-las do modo mais atrativo possível. Assim, estava plenamente convencido, pensando que sabia como elogiar bem e que conhecia a verdade de qualquer tema de encômio. Mas, de fato, como parece agora, não foi isso que se revelou o elogiar belamente a qualquer coisa. O que se viu aqui é a atribuição das **(198e)** mais relevantes e refinadas qualidades, estejam ou não presentes no tema. Se forem falsas, não importa. Com efeito, nosso acordo original era, ao que consta, que cada um parecesse elogiar o amor, não que realmente o elogiasse. É por essa razão, acredito efetivamente, que vós colocastes em movimento toda palavra para qualificar o Amor e declarastes, por exemplo, que ele é de tal tipo ou é causa de tais e tais coisas, de modo que venha a parecer o mais belo e o mais excelente. Essa impressão tem efeito, evidentemente, aos que não o **(199a)** conhecem – e com certeza não aos que o conhecem – e assim o encômio soa belo e solene. Contudo, parece que eu sequer tive conhecimento do método de fazer um elogio e, portanto, não foi senão por ignorância que concordei convosco em participar disso. Então, 'a língua prometeu, mas não a mente'[69]. Mas digamos adeus a isso![70] Não vou elogiar dessa **(199b)** maneira – eu não poderia –, com certeza, mas, se desejardes, vou expressar a verdade ao meu estilo. Não o farei em competição com o vosso, pois não quero cair no ridículo. Vê, Fedro, se tens qualquer necessidade de um discurso desse tipo: que propõe ouvir a verdade acerca do Amor, posto no arranjo de palavras e expressões que me ocorrerem no momento".

>Segundo Aristodemo, Fedro e os demais disseram a Sócrates que ele poderia discursar nesse estilo que julga adequado, seja qual for.

"Bem, então há ainda mais uma coisa, Fedro", disse Sócrates. "Permite-me interrogar Agatão sobre alguns pequenos pontos, de modo que, obtendo dele acordo sobre esses detalhes, eu possa basear neles meu discurso."

(199c) "Claro que permito", disse Fedro. "Pergunta!" Depois disso, disse Aristodemo, Sócrates começou aproximadamente nestes termos:

"É certo, caro Agatão, que iniciaste teu discurso de modo magnífico, dizendo que tinhas primeiro que exibir a espécie de coisa que o Amor é e só então suas realizações. Esse é o tipo de começo que eu aprecio muito. Mas vamos lá, já que em outros aspectos descreveste o Amor de forma bela e com magnificência, fala-me também sobre isso: é o **(199d)** Amor tal que é amor de algo ou de nada? Não pergunto, pois, se Amor é amor *de* alguma mãe ou *de* algum pai – a questão posta neste sentido seria ridícula[71] –, mas como se eu fosse te perguntar isso sobre 'pai' em si mesmo, se é pai de algo ou de nada. Se quisesses me responder corretamente, tu certamente dirias que 'pai' é pai de um filho ou de uma filha. Não é isso?"

"Com certeza", disse Agatão.

"E dirias o mesmo no caso de 'mãe'"? – Agatão concordou também com isso.

(199e) "Pois bem, continua respondendo um pouco mais", disse Sócrates", a fim de que compreendas melhor o que quero. Se eu te perguntasse sobre isso: 'irmão', aquilo que é, por si, é irmão de algo ou não?" Agatão respondeu que é irmão de algo.

"Irmão de um irmão, de uma irmã?" Ele concordou.

"Tenta, assim", disse Sócrates, "também dizer sobre o Amor: É amor de nada ou de algo?"

"De algo, absolutamente!"

(200a) "Então guarda isso[72] contigo e lembra-te do que é que Amor é amor. Dize-me agora o seguinte: Amor deseja aquilo para o qual há amor ou não?"

"Claro", respondeu Agatão.

"E é o caso de que deseja e ama na medida em que possui isto que deseja e ama? Ou deseja e ama quando não o possui?"

"Quando não o possui, como é bem provável", disse Agatão.

"Então, considera se em vez de ser 'provavelmente'", disse Sócrates, "não é *necessariamente* verdadeiro que quem deseja, deseja o que lhe falta, e que não há nenhum **(200b)** desejo da parte de quem não tem carência de nada. A mim parece uma verdade extraordinariamente forte que isso seja necessário. O que achas?"

"A mim também parece."

"Muito bem. Agora, achas que alguém que é alto desejaria ser alto ou alguém que é forte desejaria ser forte?"

"Acho impossível, na linha do que concordamos até aqui."

"Pois ninguém terá necessidade daquelas coisas que já tem."

"Verdade."

"Supõe", continuou Sócrates, "que o forte desejasse ser forte, o veloz desejasse ser veloz ou o sadio desejasse ser sadio: pois alguém pode pensar que, no que respeita a **(200c)** esses e em todos os casos desse tipo, aqueles que são tais coisas e possuem tais qualidades também desejam possuir os atributos que possuem, e estou dizendo isso para que não nos enganemos no tema. Se, contudo, pensares acerca disso, Agatão, deverás perceber que tais pessoas já possuem no momento presente os respectivos atributos, quer queiram, quer não. E, nesse caso, por qual razão desejariam possuir o que já possuem? Contudo, quando alguém diz: 'Eu sou sadio e quero ser sadio', ou: 'Eu sou rico e quero ser **(200d)** rico', ou: 'Desejo as coisas que tenho', iremos dizer a ele: 'Homem, já possuis riqueza (ou saúde e força). O fato é que o que realmente desejas é a continuidade desses bens; pois, no momento presente, queiras ou não, já os possuis. Quando dizes *eu desejo o que possuo*, considera se não queres dizer isso: Desejo continuar tendo no futuro o que já possuo no presente'. Não achas que ele iria admitir isso?"

"Agatão concordou", disse Aristodemo.

Sócrates então prosseguiu: "O amar não é, portanto, o seguinte: querer que para o tempo futuro estejam preservadas e presentes aquelas coisas que ainda não estão disponíveis e que não se tem?"

"Perfeitamente", disse Agatão.

(200e) "E esse indivíduo, ou qualquer um que sente desejo, deseja o que não está em sua posse ou não está presente, de forma que o que não tem, o que ele mesmo não é e aquilo de que tem carência são as espécies de coisas que serão objeto de amor e desejo."

"Perfeitamente", disse.

"Vamos, então!", disse Sócrates. "Recapitulemos o que concordamos até aqui: Amor não é, antes de tudo, amor *de* algo e, em segundo lugar, amor de coisas que lhe faltam no momento?"

(201a) "Sim", disse.

"Em acréscimo a estas coisas, relembra o que disseste em teu discurso sobre o objeto do Amor. Se quiseres, te ajudarei. Penso que foi algo nessa linha: que os assuntos dos deuses foram construídos tendo em vista seu amor das coisas belas, pois afirmaste que não havia nenhum amor de coisas feias[73]. Não era isso que estavas dizendo?"

"Foi o que eu disse", falou Agatão.

"E falaste adequadamente, amigo. Desse modo, se isso se dá assim, então Amor não é outra coisa do que amor do belo e nunca do feio?"

Agatão concordou.

(201b) "E não foi acordado que o que ele ama é o que lhe falta e não possui?"

"Sim", foi dito.

"Portanto, o que falta ao Amor e ele não possui é o belo."

"Necessariamente", disse.

"Mas como, então? Você afirma ser belo algo que tem necessidade do belo e não possui a beleza de forma alguma?"

"Não, com certeza."

"E se as coisas são assim, ainda dirás que o Amor é belo?"

Agatão respondeu: "Parece que eu não sei nada acerca das coisas que tratava naquele momento".

(201c) "E, contudo, te expressaste muito bem", disse Sócrates. "Mas dize-me só mais uma coisinha: as coisas boas não te parecem também belas?"

– "Sim."

"Se o Amor é carência de beleza, e as coisas boas são belas, então o Amor também será carência das coisas boas."

"De minha parte", disse Agatão, "eu não seria capaz de te contradizer. Deixemos que seja como dizes".

"É à verdade, amado Agatão", disse, "que não poderás contradizer, uma vez que a Sócrates não é difícil fazê-lo".

(201d) "E agora vou deixar-te ir para que eu possa proceder com o discurso sobre o Amor que certa vez ouvi de uma mulher de Mantineia, chamada Diotima. Ela era sábia neste e em muitos outros assuntos. Numa ocasião, nos sacrifícios feitos pelos atenienses para a peste[74], foi responsável por um retardamento da doença em dez anos[75]. Foi ela quem efetivamente me instruiu nas questões sobre o Amor e o que ela dizia em seu discurso vou tentar reproduzir para vós. Vou seguir os pontos acordados entre mim e Agatão, mas discursarei por conta própria, na medida do que sou capaz. Como tu **(201e)** explicaste, primeiro é preciso descrever o que é o Amor e que tipo de atributo possui[76], para só então tratar de suas realizações. Penso que será muito mais fácil seguir o modo como a estrangeira de Mantineia percorreu o tema comigo na ocasião: por perguntas e respostas. Eu disse para ela praticamente as mesmas coisas que Agatão acabou de dizer para mim: que o Amor era um grande deus e seu objeto era o que é belo[77]. Ela então me refutou com os mesmos argumentos que eu usei com Agatão, a saber: que o Amor, segundo meu próprio argumento, não era nem belo, nem bom.

Então eu perguntei: 'O que queres dizer, Diotima? É o Amor feio e mau?'

E ela disse: 'Por que não te calas? Pensas que qualquer item que não for belo necessariamente será feio?'

(202a) 'Certamente penso.'

'E suponho que também pensas que se não é sábio, é ignorante? Não percebes que há algo intermediário entre sabedoria e ignorância?'

'E o que é isso?'

'Tu não sabes que opinar corretamente[78], sem ser capaz de dar uma razão', disse

Diotima, 'nem é conhecimento – pois como poderia ser conhecimento um assunto acerca do qual não se possui a razão? – e tampouco é ignorância – pois como seria ignorância o que atinge a verdade? Portanto, é muito claro que a opinião correta ocupa esse estado intermediário entre o conhecimento[79] e a ignorância'.

'Verdade', eu disse.

(202b) 'Não queiras, portanto, forçar o ponto de que o não belo é feio ou que o não bom é mau. De modo similar com o Amor: tendo admitido que ele não é nem belo e nem bom, não há motivo algum para pensar que é feio ou mau. Ele é algo intermediário entre estes dois', disse Diotima.

'Pelo menos é certo que todos estão de acordo que ele é um grande deus', eu disse.

'Por 'todos' te referes aos que não conhecem ou incluis também os que conhecem?', perguntou Diotima.

'Certamente todos eles.'

(202c) Diotima riu e disse: 'Como o Amor poderá ser admitido como um grande deus por estes que dizem que ele não é um deus?'

'Quem são 'estes'?', perguntei.

'Um és tu e outra sou eu', ela respondeu.

'Mas como chegaste a essa conclusão?', tornei a perguntar.

E ela: 'Isso é fácil! Dize-me o seguinte. Tu não admites que todos os deuses são felizes e belos? Ou terias a audácia de negar a felicidade e a beleza a algum deles?'

'Por Zeus!, eu não.'

'E o que de fato entendes por 'felizes' não se refere aos que possuem coisas boas e belas?'

'Certamente.'

(202d) 'Mas concordaste que é devido à carência de coisas boas e belas que o Amor deseja tais coisas, pois lhe faltam.'

'Concordei, de fato.'

'E como poderá ser um deus o que não participa do que é belo e bom?'

'De modo algum, como parece agora.'

'Estas vendo', ela disse, 'que também tu não consideras que o Amor seja um deus?'

E eu disse: 'Mas o que, então, será o Amor, um mortal?'

'Isso muito menos.'

'Certo, mas o quê?'

'Como eu disse previamente', ela respondeu, 'é um intermediário entre o mortal e o imortal'.

'Mas o que é, Diotima?'

(202e) 'Um grande *espírito*[80], Sócrates. Todo espírito é um intermediário entre o divino e o mortal.'

'Que poder ele possui?', perguntei.

'O de interpretar e comunicar aos deuses as mensagens dos homens e aos homens as mensagens dos deuses. Dos homens, as orações e os sacrifícios. Dos deuses, as imposições e as recompensas pelos sacrifícios. Dado que está no meio de ambos, ele preenche esse espaço entre os dois, de tal forma que o conjunto[81] fica ele mesmo ligado **(203a)** numa unidade. É por meio dos espíritos que opera toda a arte da profecia: a técnica dos sacerdotes, com seus sacrifícios, ritos e encantações, bem como todas as adivinhações e magia. Nota que os deuses não se misturam com os homens, mas por meio desses espíritos passa a ser possível qualquer associação e diálogo dos primeiros com os últimos, estejam estes acordados ou dormindo. O homem que é sábio nestes assuntos é um indivíduo de gênio, ao passo que o homem que tem conhecimento em outra coisa – técnica ou habilidade manual – é apenas um entendido em assuntos de menor valor. Tais espíritos são abundantes e de diferentes espécies. Um deles é o Amor.'

'E vem de que pai e de que mãe?', perguntei.

(203b) 'Essa é uma longa história', ela disse. 'Mas vou contá-la, mesmo assim. Quando Afrodite nasceu, os deuses celebraram o evento, e entre eles estava *Poros* (Recurso)[82], filho de *Metis*[83] (Sabedoria). Quando o encontro acabou, *Penia* (Penúria) veio com a intenção de pedir comida, já que era uma festa, e ficou plantada nos portões. Ocorreu que *Poros*, já embriagado pelo néctar – não havia ainda vinho nessa época –, entrou no jardim e, sentindo-se chumbado, adormeceu. Então *Penia*, por conta de sua própria condição de penúria, elaborou um plano para ter um filho de *Poros*: deitou-se com ele e **(203c)** ficou grávida de Amor. É por isso que Amor se tornou seguidor e servo de Afrodite: por ter sido concebido no aniversário de nascimento daquela e, ao mesmo tempo, por ser por natureza amante do belo, pois Afrodite é bela. De outro lado, dado que Amor não é apenas filho de *Poros*, mas também de *Penia*, ele se encontra nessa condição: antes de tudo, é sempre desprovido de recursos e lhe falta muito da ternura e beleza que **(203d)** muitos costumam ver nele. Na verdade, ele é duro, áspero, descalço e desabrigado. Está sempre dormindo no chão, ao relento, ou estendido nas portas e calçadas. Devido à natureza da mãe, a necessidade é sua constante companheira. Mas ele também tem atributos do pai: é ardiloso com o que é belo e bom, arrojado, ávido, pronto para a ação, caçador hábil, sempre tecendo maquinações, ardente por sabedoria, cheio de soluções, por toda a vida amante da filosofia, esperto com magia, poções e também um **(203e)** sofista. Sua natureza não é a do imortal, tampouco a do mortal, mas no mesmo dia floresce e vive, por um tempo, quando prospera em recursos, e em outro momento começa a murchar, apenas para voltar à vida novamente, graças à natureza do pai. E, no entanto, suas conquistas estão sempre se esvaindo, de modo que nem empobrece, nem enriquece. Está sempre entre os dois, da mesma forma que se situa entre a sabedoria e a ignorância.

(204a) As coisas, com efeito, se dão desse modo. Os deuses não desejam filosofar[84], nem se tornar sábios, pois já são. Tampouco outro qualquer, se for sábio, desejará filosofar. Nem sequer os ignorantes filosofam ou desejam se tornar sábios, pois a ignorância é nociva nesse aspecto: embora não seja belo, bom ou inteligente, o ignorante vê a si mesmo como suficiente em todas essas características. O que não tem consciência de sua carência não irá, obviamente, desejar o que não julga ter necessidade.'

'Nesse caso, Diotima, quem são os que amam a sabedoria, se não são nem os sábios e nem os ignorantes?'

(204b) 'Isso é evidente', ela disse. 'Até mesmo a uma criança é óbvio que os que amam a sabedoria estão entre estes dois extremos – e o Amor é um deles. A sabedoria tem por objeto as coisas mais belas e o Amor é amor do belo, de forma que ele também deve ser um amigo da sabedoria[85] e, como tal, estar entre o ser sábio e o ser ignorante. A causa desses atributos é sua origem: um pai sábio e possuidor de recursos[86], de um lado, e uma mãe que não tem nada disso, de outro. Esta é, portanto, caro Sócrates, a natureza **(204c)** desse espírito. Assim, quem pensaste ser Amor não se revelou nada surpreendente. Considerando o que disseste, parece-me que o concebeste como aquilo que é amado, não aquilo que ama. Por isso, penso, ele te pareceu absolutamente belo. Mas é o amado que realmente é belo, gracioso, completo e absolutamente feliz. O amante, de seu lado, tem um atributo muito diferente, como eu relatei.'

E eu disse: 'Muito bem, Diotima! Falaste, de fato, de forma bela. Mas se o Amor é tal como dizes, que função ele tem para os homens?'

(204d) 'Isso é o que vou tentar te ensinar na sequência, Sócrates', ela disse. 'Se, por um lado, ele é, de fato, dessa natureza e tem sido gerado da forma como estive te relatando, por outro ele está também entre as coisas belas, como tu disseste. Mas e se alguém nos perguntasse: 'Sócrates e Diotima, o que significa o Amor ser das coisas belas? Ou, para colocar de modo mais claro: O que deseja aquele que tem desejo pelas coisas belas?'

Respondi: 'Que as coisas belas passem a existir para ele'.

'Tua questão ainda anseia por outra: O que ele ganhará com a posse de coisas belas?'

E eu disse: 'Absolutamente não estou em condições de dar uma resposta pronta a essa questão'.

(204e) E ela disse: 'Mas é como se alguém tivesse mudado a questão e, no lugar do 'belo', perguntasse sobre o 'bom', dizendo: Vamos, Sócrates! O que deseja as coisas boas deseja o quê?'

'Possuí-las', eu disse.

'E o que ganhará aquele que tiver a posse das coisas boas?'

E eu disse: 'Essa é uma questão que tenho condições de responder mais facilmente: Ele será feliz'[87].

(205a) 'Sim. E os felizes são felizes por causa da posse das coisas boas. E não há qualquer necessidade adicional de perguntar pelo propósito de querer ser feliz aquele que o quer. Assim, essa resposta parece conter o objeto último da questão'[88].

'Dizes a verdade', falei.

'E quanto a essa vontade ou esse amor: tu pensas que são comuns a todos os homens e que querem ter consigo sempre[89] todas as coisas boas, ou o que dizes?'

'Precisamente isso', eu disse. 'É comum a todos.'

'E por que, então, Sócrates, não dizemos que todo indivíduo é um amante, uma **(205b)** vez que todos sempre amam as mesmas coisas, ao invés de dizermos que alguns são amantes e outros não?'

'Também eu me espanto com isso', disse.

'Mas não te espantes. O fato é que estamos pegando um certo tipo de amor e atribuindo-lhe um nome que se aplica a todos: *Amor*. E para as demais formas aplicamos outros nomes.'

'Como o quê?', eu disse.

'Como o que segue: tu sabes que 'poesia'[90] é um termo de uso amplo. Sabes, além do mais, que, quando algo – seja o que for – passa do não ser ao a ser, a causa plena **(205c)** disso é 'poesia', de forma que as criações de todas as técnicas são poesia e os produtores dessas coisas são todos poetas.'

'Falas a verdade.'

'E, contudo', ela continuou, 'estás informado de que estes não são chamados poetas, mas têm outros nomes. Assim, da classe inteira da poesia foi delimitada uma parte dedicada à música e aos versos, sendo denominada com o nome do todo. Somente isso é poesia hoje, e os que possuem essa parcela da poesia são chamados 'poetas''.

'Dizes a verdade.'

(205d) 'O mesmo se dá com o amor. Em geral, para todo indivíduo, todo o desejo por coisas boas e por ser feliz é o 'grandioso e traiçoeiro amor'[91]. Mas uns o perseguem de diferentes maneiras – seja através do amor pelo dinheiro, pela ginástica ou pela filosofia – e destes nem se diz que estão 'amando', tampouco que são 'amantes'. Somente aqueles que vão ao encontro e perseguem com ardor um tipo particular de amor atraem os nomes que pertencem ao todo: *amor*, *amar* e *amantes*.'

'Tu estás provavelmente falando a verdade', eu disse.

'De fato há um certo relato', ela disse, 'segundo o qual os amantes são pessoas **(205e)** que buscam sua própria metade[92]. Mas o que estou dizendo, meu amigo, é que o Amor não é nem amor da metade que falta, nem do todo, a não ser que seu objeto seja bom, o que só ocorre em certas circunstâncias. E digo isso porque até seus próprios pés e mãos os homens querem cortar caso estes lhes pareçam defeituosos. Portanto, não penso que cada um de nós esteja enlaçado com suas próprias características, a não ser que **(206a)** alguém chame o que pertence a si mesmo e é particularmente seu de bom, enquanto chama de estranho o que é mau. O fato é que o único objeto de amor para os homens é o bem. Ou pensas que há algo mais?'

'Por Zeus, penso que não', respondi.

'Bem, então', ela continuou, 'podemos simplesmente dizer que os homens amam o bem?'

'Sim', eu disse.

'Mas não se deve acrescentar', disse ela, 'que o que amam é ter o bem consigo?'

'Deve-se acrescentá-lo.'

E ela continuou: 'Não apenas ter, *mas ter para sempre?*'

'Isso também.'

'Então podemos concluir que o amor é o desejo de ter o bem consigo para sempre', ela disse.

'Isso é muito verdadeiro', afirmei-lhe.

(206b) 'Agora que foi admitido que o amor sempre tem isso como objeto', ela disse, 'podes dizer-me de que maneira eles o perseguem e em que atividades o entusiasmo e o esforço recebem o nome de amor? Em que consiste realmente a função[93] do amor? Tens condições de me dizer?'

'Posso te assegurar, Diotima, que se o pudesse eu não estaria admirado por tua sabedoria e não te frequentaria, pretendendo aprender estas coisas.'

'Mas eu te direi', ela falou. 'A função do Amor é parir no[94] belo[95], tanto no corpo como na alma.'

'Seja lá o que for que tu queres dizer, Diotima', eu falei, 'isso requer um poder profético para decifrar, pois não compreendo'.

(206c) 'Mas vou te explicar mais claramente', ela disse. 'Todos os seres humanos fecundam[96], Sócrates, no corpo e na alma, e quando chegamos a certa idade nossa natureza deseja dar à luz. Mas não é possível dar à luz na fealdade[97]. Somente na beleza[98]. Sim, o intercurso sexual de um homem e uma mulher é um tipo de nascimento. Esse processo de gravidez e geração é divino: é o imortal fazendo-se presente numa criatura mortal, sendo impossível que ocorra no que está em desarmonia. O que é feio, de seu lado, não se harmoniza com nada que seja divino. Já o que é belo está sempre em harmonia **(206d)** com a divindade. Por conta desse nascimento, a beleza assume a função de *Moira* e *Ilítia*[99]. Por isso, quando o que está gestante[100] se aproxima do belo, torna-se gracioso, relaxa com deleite, dá à luz e gera. Mas quando se aproxima do feio, fica carrancudo e aflito, contrai-se, afasta-se e se recolhe, sem gerar. Ao reter seu feto, carrega-o com dificuldade. Essa é a razão pela qual o gestante e já prestes a dar à luz sente **(206e)** tanta excitação na presença do belo, pois aquele será libertado de uma grande dor. Desse modo, o objeto do amor, Sócrates', ela disse, 'não é, como pensas, o belo'.

'Bem, é o que então?'

'É o desejo de reprodução[101] e de dar à luz no belo.'

'Muito bem', eu disse.

'Com toda certeza', ela disse. 'Mas por que, de fato, o amor é desejo de reprodução? Porque a reprodução é uma forma de perpetuação e imortalidade, ao menos para o mortal. Se o amor é, efetivamente, o desejo de possuir o que é bom sempre consigo, como **(207a)** concordamos, segue-se que ele deve desejar a imortalidade com o que é bom. Portanto, de acordo com esse argumento, o objeto do amor deve também ser a imortalidade.'

Todas essas coisas ela me ensinava nas ocasiões em que expunha seus argumentos sobre questões amorosas. Certa vez ela me perguntou: 'Sócrates, o que pensas ser a causa desse amor e desse desejo? Já percebeste como é terrível a condição dos animais (os que andam e os que voam) que sentem o desejo de reproduzir? Adoecem quando **(207b)** eroticamente excitados, o que os faz quererem primeiro a cópula e só então alimentar a cria. Até mesmo o mais fraco dos animais está pronto para lutar com o mais forte e morrer pela prole. Ficam esgotados de fome apenas para alimentá-los e fazem tudo o mais que for preciso. Quanto aos homens', ela disse, 'alguém pode supor que fazem isso por reflexão. **(207c)** Mas o que causa essa disposição amorosa nos animais? Podes dizer-me?'

E eu, de meu lado, dizia que não sabia. Ela então disse: 'Tu achas que te tornarás algum dia brilhante em questões de amor se não souberes estas coisas?'

'Mas foi por isso que vim estudar contigo, Diotima, como disse agora há pouco, pois percebi que precisava de professores. Então, me fale sobre essa causa e também acerca dos demais aspectos concernentes ao amor.'

'Muito bem', ela disse. 'Se acreditas que o amor tem como objeto, por natureza, aquilo acerca de que entramos em acordo tantas vezes, não te espantes com o que vou dizer. Aquele mesmo princípio sobre os seres humanos vigora também no reino animal: **(207d)** a natureza mortal procura na medida em que pode existir sempre e ser imortal. Isso só é possível de um modo: pela geração, processo por meio do qual ela deixa um ser novo no lugar do antigo. Isso se aplica também no período em que cada criatura é considerada viva e o mesmo indivíduo. Por exemplo, o homem é dito o mesmo desde criança até se tornar velho. Apesar de ser tomado como a mesma pessoa, ele jamais comporta as mesmas características, pois está sempre renovando alguns aspectos e **(207e)** perdendo outros, nos cabelos, carnes, ossos, sangue, enfim, no corpo inteiro. Não apenas em seu físico. Também na alma: atributos, traços do caráter, opiniões, desejos, prazeres, dores, medos. Nenhum destes traços jamais permanece o mesmo em nós, pois alguns vêm a ser, outros são destruídos. E muito mais extraordinário do que isso é o fato de que a mudança **(208a)** envolve também as ciências. Não é apenas o caso de que alguns itens emergem em nós, enquanto outros desaparecem, mas também que jamais somos os mesmos em relação aos saberes e, além disso, cada uma das ciências passa pelo mesmo processo. O que é chamado 'estudo'[102] existe porque o conhecimento se esvai de nós. Assim, esquecer é a perda de conhecimento, enquanto o estudo, na medida em que coloca uma nova memória no lugar da que está se esvaindo, preserva o conhecimento, de forma que este parece ser o mesmo. Por esse expediente todo mortal é preservado, mas não por **(208b)** permanecer inteiramente sempre o mesmo, como os deuses, mas porque a parte mortal envelhece e parte, deixando para trás um ser novo, do mesmo tipo que era. Esse é o mecanismo, Sócrates, por meio do qual o mortal participa na imortalidade, fisicamente e nos demais aspectos. O imortal, contudo, existe de outra forma. Não te espantes, portanto, se tudo por natureza tem o valor da própria espécie. É por causa da imortalidade que este zelo está presente em tudo, e isso é o Amor.'

Quando ouvi o discurso dela fiquei surpreso e disse: 'Muito bem, ó sábia Diotima, mas as coisas são verdadeiramente do modo como falaste?'

(208c) E ela, como os sofistas reais, disse: 'Fica certo que sim, Sócrates! Porque de fato, se quiseres olhar para o amor que a humanidade nutre pela honra, te espantarias com sua irracionalidade nos assuntos acerca dos quais tratei, a não ser que reflita sobre isso, considerando como eles são intensamente afetados pelo desejo de se tornarem famosos e 'amealharem para a eternidade uma fama imortal'[103]. Por causa disso, estão prontos para correrem todos os riscos, ainda mais do que o fariam pelos **(208d)** filhos, e também se dispõem a gastar dinheiro, sofrer qualquer tipo de privação e até morrer pela honra'. E ela continuou: 'Pois realmente acreditas que Alceste[104] teria morrido por Admeto, Aquiles sacrificaria sua vida por Pátroclo[105] ou, ainda, vosso Rei Codro morreria cedo para favorecer sua linhagem, a menos que pensassem que a memória de sua virtude – que ainda conservamos – seria eterna? Longe disso', ela disse. 'Penso que é por causa da virtude imortal, e desse tipo de fama gloriosa, que eles fazem todas essas **(208e)** coisas, e quanto melhores são, tanto mais se empenham, pois é a imortalidade que desejam.

Com efeito, aqueles fecundados no corpo se voltam, sobretudo, às mulheres, e dessa maneira expressam seu amor e seu desejo. Eles imaginam que por meio da procriação de filhos irão obter para si mesmos a imortalidade, a memória e a felicidade **(209a)**, para todo o tempo futuro. E quanto aos da alma: há, de fato, os que fecundam – mais na alma do que no corpo – coisas propícias à alma fecundar e gerar. E o que é mais adequado a ela do que a inteligência e as outras virtudes, das quais tanto os poetas são tidos como genitores, como também todos os artesãos que são considerados inventivos? De longe a mais importante e bela forma dessa inteligência é a que está relacionada ao bom ordenamento das cidades e das casas, a que tem o nome de temperança e justiça. **(209b)** Assim, quando alguém é fecundado na alma desde a juventude com essas virtudes, ainda solteiro[106] e sendo da idade certa, já deseja dar nascimento e gerar. Penso que ele passa, de fato, a procurar ao redor este belo em cujo seio possa procriar, pois jamais poderia procriar no feio. E ao fecundar acolhe sobretudo os corpos belos, ignorando os feios, mas se ele se depara com alguém cuja alma é bela, nobre e naturalmente dotada, efetivamente acolhe essa combinação. Diante de uma pessoa assim ele prontamente ganha recursos linguísticos para falar sobre a virtude: sobre como um homem bom deve ser e o **(209c)** que deve praticar, pondo-se a educá-lo. Penso que pelo contato com este belo e por se associar a ele – o que será mantido vivo em sua memória na presença e na ausência deste –, aquele dá à luz e gera o que vinha gestando há muito tempo.

E, em comunhão com aquela outra parte, ele

alimenta o rebento gerado. Essas pessoas possuem uma ligação entre si e laços de amizade muito mais fortes do que os que existem entre os pais dos filhos mortais, visto que os 'filhos'[107] que possuem em comum são mais belos e eternos. Qualquer um iria preferir gerar para si filhos como esses, em vez de serem pais de crianças naturais. Nota, além do mais, como as pessoas olham com inveja para **(209d)** Homero, Hesíodo e outros bons poetas, pelo tipo de prole que deixaram para trás, por conferir-lhes fama imortal e memória, o que os torna também eternos. Se quiseres, toma os filhos que Licurgo[108] deixou como salvação de Esparta ou, por assim dizer, de toda a Grécia. Entre vós, Solon[109] também é honrado por ser o genitor de vossas leis. Há outros **(209e)**, em muitos lugares diferentes, tanto entre os gregos como entre os bárbaros, cujas várias realizações belíssimas procriaram virtudes de todos os tipos. Em honra deles já foram feitos muitos cultos devido às propriedades de seus filhos, enquanto que em honra dos filhos naturais não se viu nenhum até agora.

Esses são, portanto, os tópicos do amor sobre os quais mesmo tu, Sócrates **(210a)**, poderias ser iniciado. Mas, quanto aos ritos finais da preparação do iniciado[110], em vista dos quais as explicações acima são introduções àquele que está no caminho certo, já não sei se serias capaz. Contudo, vou te explicar e fazer o máximo para nada omitir. Quanto a ti, tenta acompanhar na medida do que podes.

Aquele que procede corretamente nesse assunto', ela disse, 'deve começar em sua juventude a se dirigir aos belos corpos. Sobretudo, se seu guia[111] o conduz bem, ele deve amar um corpo e nele gerar belos discursos[112]. Em seguida, deve perceber por si **(210b)** mesmo que a beleza relativa a um corpo qualquer é muito similar à beleza relativa a outro e que, se é o caso de perseguir a Forma[113] do belo, é muita tolice não considerar a beleza de todos os corpos uma só e a mesma[114]. Tendo entendido isso, deve se tornar amante da beleza física em geral e abandonar esse amor intenso por um só corpo, agora que o vê com desprezo e o toma por trivial. Depois, deve considerar o belo das almas mais valioso do que o dos corpos, de tal modo que, se a alma de uma pessoa for decente, mas sua beleza física escassa, isso baste e não o impeça de amá-la, de **(210c)** preocupar-se com sua educação e de buscar produzir discursos do tipo que tornam os jovens melhores. Tudo isso a fim de que seja compelido a contemplar o belo nas atividades e leis, o que significa ver que toda forma de belo tem a mesma origem que qualquer outra[115] e que, portanto, o belo relativo a um corpo é insignificante.

Depois disso, seu guia deve arrastá-lo para contemplar os saberes em suas várias formas, de modo que veja também o belo nos conhecimentos. Com efeito, olhando para **(210d)** a variedade atual de belo e não mais para as instâncias, não se sujeitará, como um servo, à beleza de um jovem, de outra pessoa ou de uma ciência particular, escravidão que o torna simplório e de razão estreita. Ao contrário, voltado ao amplo mar do belo e contemplando-o, irá gerar, por meio uma filosofia abundante, uma variedade de discursos excelentes e pensamentos magníficos, até que, aí robustecido e desenvolvido, passe a **(210e)** discernir certo conhecimento unitário: o belo, cuja descrição farei agora. Tenta, portanto', ela disse, 'prestar atenção no que vou dizer, o máximo que for possível a ti'.

'Com efeito, quem tiver sido instruído até esse ponto no que concerne aos temas amorosos, tendo contemplado os itens belos numa sucessão correta e ordenada, à medida que se encaminha para a finalidade do tema, perceberá subitamente algo maravilhosamente belo em sua natureza[116], aquilo mesmo, Sócrates, em vista de que, efetivamente, foram empreendidos todos os esforços precedentes. Trata-se de algo que **(211a)**, antes de tudo, sempre é[117], não tendo a característica de vir a ser ou de perecer, tampouco de aumentar ou diminuir. Depois, não é belo em um aspecto e feio em outro, ou belo num momento e feio em outro, ou belo numa determinada relação, mas feio em outra relação, nem belo num lugar e feio em outro, por ser belo a algumas pessoas e feio a outras. O belo também não aparecerá a ele como a beleza de uma face, de uma mão ou de qualquer outra parte do corpo, nem de certo discurso ou de certa ciência, nem como estando em alguma coisa diferente de si mesmo, como num animal, na terra, no céu ou **(211b)** em qualquer outra coisa. Ao contrário de tudo isso, o belo lhe aparecerá em si, por si e consigo mesmo, possuindo sempre uma forma única[118]. Todas as demais coisas belas, por sua vez, partilham do ser do belo num sentido tal que, enquanto elas ganham ser ou são destruídas, em absolutamente nada aquele se torna maior ou menor, nem sofre modificação de qualquer tipo. Assim, quando alguém, por meio de um correto[119] amor aos jovens, ascende dessas instâncias de beleza e começa a ver claramente aquele belo, está no ponto, por assim dizer, de atingir o fim do aprendizado. Esse[120] é, de fato, o método **(211c)** correto de se dirigir aos temas amorosos ou por outro ser conduzido: iniciando daquelas instâncias do belo, subir sempre com o propósito de alcançar aquele belo em si. Como quem está se servindo de degraus, ir de um só para dois e de dois para a beleza de todos os corpos; e da beleza de todos os corpos para a beleza das atividades e destas para a beleza das formas de conhecimento. Das formas de conhecimento ele deve terminar naquela espécie de conhecimento cujo objeto não é outra coisa que o saber do próprio belo, para que[121], finalmente, venha a conhecer a essência do belo'.

(211d) E a estrangeira de Mantineia disse: 'Nesse momento da vida, caro Sócrates – se é que há um momento especial –, a vida humana vale a pena pela contemplação do próprio belo. Se alguma vez vires essa beleza, ela não te parecerá comparável à do ouro, da roupa ou à dos belos garotos e homens jovens, cuja visão deixa a ti e a muitos outros absorvidos. Aliás, se pudesses vê-los e frequentá-los continuamente, estarias disposto, se possível, a não mais comer e beber, somente vê-los e ficar com eles. Então, o que imaginamos que aconteceria, àquele que pudesse ver o próprio **(211e)** belo: puro, limpo, não misturado, destituído de carnes humanas, cores e outras tantas frivolidades mortais? Ou seja: que pudesse ter uma visão clara do belo ele mesmo, divino e em sua forma unitária? Ou tu pensas', ela continuou, 'que se torna medíocre a vida **(212a)** do homem que dirige seu olhar para aquele belo e, com o que é necessário[122], contempla-o e convive com ele? Não consideras que somente esse indivíduo poderá gerar, não imagens de virtudes, porque não está em contato com imagens, mas virtudes verdadeiras, porque está em contato com a verdade? Tendo produzido e alimentado a verdadeira virtude, terá a chance de ser amado pelos deuses e de se tornar imortal ele mesmo, se isso for possível para alguém'.

(212b) Pois bem, Fedro e demais convivas, estas são as coisas ditas a mim por Diotima. Fui persuadido por seus argumentos. E dado que estou convencido, tento também persuadir os outros de que, em se tratando da obtenção dessas coisas pela natureza humana, alguém não encontrará parceiro melhor do que o Amor. Por isso declaro que é necessário que todo homem honre o Amor. Eu mesmo o honro no que se refere aos temas amorosos e o pratico em um nível especial. Encorajo ainda todos os demais a fazerem o mesmo. Agora e sempre faço elogios sobre o poder e a coragem que emanam do Amor, no nível mais elevado que me **(212c)** é permitido fazê-lo. Assim, caro Fedro, se quiseres, considera esse discurso como meu encômio proferido em homenagem ao Amor. Ou, então, o que e como te aprouver, nomeia-o assim."

Quando terminou de falar essas coisas, alguns se puseram a elogiá-lo, disse Aristodemo, enquanto Aristófanes tentava dizer alguma coisa, porque Sócrates o tinha mencionado quanto a um aspecto de seu discurso. Então, subitamente, a porta do pátio repercutiu um estrondoso barulho, parecendo algazarra de foliões. Podia-se ouvir a voz da *aulētris* **(212d)**[123], ao que Agatão disse: "Escravos, não ireis ver o que é? Se for um de meus amigos, chamai-o. Mas se não for, dizei-lhe que não estamos mais bebendo e já nos recolhemos". Não demorou muito e ouviu-se a voz de Alcibíades[124] no pátio, muito bêbado e falando alto. Perguntava sobre Agatão e queria ser conduzido até ele. É levado para dentro, carregado pela *aulētris* e por alguns seguidores, quando se detém na **(212e)** porta. Usando uma espessa grinalda de hera e violeta, com abundantes laços sobre a cabeça, disse: "Saudações, senhores! Aceitaríeis como companheiro de bebida um homem absolutamente bêbado? Ou devemos apenas coroar Agatão[125], motivo pelo qual viemos aqui, e partir? Ontem eu estava impossibilitado de vir", disse, "mas estou aqui agora com estas fitas sobre a cabeça porque devo transferi-las da minha para a cabeça do mais sábio e belo, se assim eu puder proclamá-lo. Por acaso ireis zombar de **(213a)** mim porque estou bêbado? Mesmo que caiais na gargalhada, sei bem que o que vou dizer é verdade. Mas falai-me logo: Nos termos enunciados, devo entrar ou não? Ireis beber comigo ou não?"

Todos efusivamente o saudaram, pedindo-lhe para que entrasse e se reclinasse. Agatão o chamou e Alcibíades então se aproximou, ajudado pelos demais. Estava desamarrando as fitas da cabeça, para passá-las a Agatão, e, tendo-as à frente dos olhos, não percebeu Sócrates, que se afastou assim que o viu. Alcibíades sentou entre Sócrates e **(213b)** Agatão. Acomodado, abraçou Agatão e o coroou. Depois disso, Agatão disse: "Servos, tirai os calçados de Alcibíades, a fim de que ele possa ocupar um terceiro lugar aqui".

"Muito bem, obrigado. Mas quem é esse nosso terceiro companheiro de bebida?" Enquanto pergunta isso, volta-se para o lado e vê Sócrates. Tem um sobressalto e diz: "Por Héracles, mas o que é isso aqui?! És tu, Sócrates?! Estavas reclinado aí para me **(213c)** surpreender novamente e aparecer de repente, como é teu costume, lá onde eu menos espero? Mas o que te trouxe a este evento? E ainda por cima reclinado aqui, hein? Noto que não estás do lado de Aristófanes ou de alguém que, tal como ele, é cômico e gosta de sê-lo. Não, tu maquinaste sentar ao lado do mais belo entre os que estão no recinto".

E Sócrates disse: "Agatão, vê se vais me defender! Porque meu amor por ele não é coisa leve. De fato, desde o momento que comecei a amá-lo, não me foi permitido **(213d)** voltar meu olhar e nem conversar com um jovem sequer de boa aparência. Se o faço, este aqui, enciumado e invejoso, faz coisas absurdas, discute comigo e mal consegue manter suas mãos afastadas de mim. Vê se ele não vai agir assim também aqui e tenta manter a reconciliação entre nós. Se, ao invés disso, ele tentar à força, defende-me, pois eu fico muito apavorado com esse tipo de loucura e devoção ao amado".

"Mas não há reconciliação entre mim e ti", falou Alcibíades. "E quanto a essas **(213e)** coisas que disseste, vingar-me-ei mais tarde. Para o momento, Agatão, por favor, devolve-me algumas das fitas para que eu coroe também a cabeça deste homem – espantosa que é –, a fim de que não me censure por tê-las dado a ti e não tê-lo coroado também – ele que vence todos os homens em competições de discursos, não apenas uma vez, como tu antes de ontem, mas sempre." Dizendo isso, Alcibíades pegou algumas das fitas, coroou Sócrates e voltou a reclinar-se no divã[126].

Já reclinado, disse: "Muito bem, senhores. Mas o que é isso: me pareceis sóbrios! Isso não pode ser permitido, e sim que bebais: é o que foi acordado entre nós[127]. Assim, escolho eu mesmo como mestre de cerimônias, até que tenhais bebido o suficiente. Agatão, se tiveres um copo grande, que o tragam. Mas espera, não é preciso. Escravo: traze-me aquele jarro de refrigerar vinho!"[128], exclamou, ao ver um que tinha espaço para cerca **(214a)** de oito taças[129]. Encheu-o, foi o primeiro a beber e depois mandou servir Sócrates. Enquanto isso, falou: "Senhores, meu truque não tem qualquer efeito sobre Sócrates. Não importa o quanto alguém o sirva, ele beberá sem que jamais fique bêbado"[130].

O escravo encheu e Sócrates bebeu mais, quando Erixímaco disse: "Mas o que estamos fazendo, Alcibíades? Assim, enquanto o vinho vai passando, não **(214b)** estamos falando nada e nem cantando. Iremos simplesmente beber como homens sedentos?"

Alcibíades disse: "Caro Erixímaco, o melhor filho do melhor e mais prudente dos pais, salve!"

"Sim, também tu, salve!", respondeu Erixímaco. "Mas o que faremos?"

"O que ordenares, devemos te obedecer, pois 'um homem que é médico é tão importante quanto qualquer outro homem'[131]. Então, dize-nos o que queres."

"Ouve então", disse Erixímaco. "Nós decidimos, antes de tua chegada, que cada **(214c)** um devia proferir um discurso sobre o Amor – o mais belo de que fosse capaz – e dessa forma honrá-lo, começando pela direita e na vez de cada um. Todos aqui já falamos, mas tu, como ainda não discursaste e já bebeste tudo, é justo que fales. Tendo discursado, poderás então prescrever a Sócrates o que bem quiseres. E este ordenar o mesmo ao da direita, e assim por diante."

"É uma ótima ideia, Erixímaco! Mas talvez não seja justo comparar os discursos de um homem bêbado com os de um homem sóbrio. E além do mais, caro amigo, está **(214d)** Sócrates te persuadindo de alguma coisa do que disse há pouco? Ou sabes que se dá inteiramente o oposto do que ele falou? Pois é ele que não irá tirar as mãos de mim, caso eu venha louvar qualquer outro, deus ou mortal, em sua presença."

"Por que não te calas?", Sócrates disse.

"Por Poseidon", disse Alcibíades. "Não digas uma palavra contra isso. Enquanto estiveres por perto, jamais vou elogiar outro."

"Então faz isso, se preferires", disse Erixímaco, "louva Sócrates".

(214e) "Como assim"?, disse Alcibíades. "Estão convictos que é isso que farei? Atacar o homem e me vingar dele na frente de vós todos?"

"Alto lá!", disse Sócrates. "O que tens em mente? Irás me dirigir um encômio me expondo ao ridículo? Ou o que pretendes?"

"Direi a verdade. Vais me deixar fazê-lo?"

"Mas claro. Não apenas permito, mas te exorto a dizer a verdade."

"Vou falar logo", disse Alcibíades, "mas antes, aqui está o que preciso que façais: se eu disser algo não verdadeiro, podeis me interromper, se quiserdes, e apontar **(215a)** o que é falso em meu discurso, embora eu esteja disposto a não proferir falsidades. De outro lado, não fiqueis espantados se eu trocar um evento por outro enquanto tento recordá-los, pois não é fácil para alguém na minha condição enumerá-los com a devida fluência e ordem.

Vou louvar Sócrates, senhores, empreendendo um método por meio de imagens. Ao proceder assim, vai parecer que faço uma caricatura para expô-lo ao riso, mas estarei me valendo de imagens com vistas à verdade, não para ridicularizá-lo. Em minha opinião **(215b)** ele é semelhante aos bustos dos silenos[132] dispostos nas oficinas de fabricantes de estátuas, os quais são talhados pelos artesãos segurando pequenas flautas ou *auloi*[133]. Quando partidos ao meio, revelam estátuas de deuses em seu interior. Penso também que ele se assemelha ao sátiro Mársias[134]. O fato é que, caro Sócrates, pelo menos quanto à forma, assemelhas-te a estas figuras citadas, o que suponho que nem mesmo tu irás contestar. E atenta para ouvir, depois disso, tua semelhança nos demais traços. Comportas-te com insolência[135], não é? Se, pois, não concordares, providenciarei testemunhas. E tu não és um *aulētēs*?[136] Claro que és, mais impressionante do que **(215c)** Mársias. Este, usando seus instrumentos, costumava encantar a todos pelo poder que vinha de sua boca – e ainda hoje quem executa suas músicas provoca esse encanto. E eu digo 'as músicas de Mársias' porque penso que as melodias de Olimpo[137] foram criadas por Mársias, que as ensinou a Olimpo. Somente estas músicas, não importa se executadas por um bom *aulētēs* ou por uma *aulētris*[138] ordinária, são capazes de possuir a alma; por serem divinas, revelam quais pessoas estão na necessidade dos deuses e dos ritos de iniciação[139]. Já tu, Sócrates, és diferente de Mársias apenas nisso: produzes esse mesmo efeito **(215d)** sem instrumentos, apenas por meros discursos. E nós, quando ouvimos alguém falando sobre um tópico qualquer, mesmo que seja um indivíduo muito bom em discursar, não se vê, por assim dizer, nenhum efeito em nós. Mas quando alguém te ouve diretamente ou escuta tuas palavras através de outra pessoa, não importa se for um orador absolutamente medíocre, o fato é que ficamos todos – mulher, homem e adolescente na mesma medida – encantados e maravilhados ao te ouvirmos. E quanto a mim, senhores, se não fosse o risco de parecer estar irremediavelmente sob efeito da bebida, eu iria, sob juramento, falar sobre como, efetivamente, fui afetado pelas palavras desse homem e **(215e)** de como elas ainda mexem comigo. Quando o escuto fico num frenesi mais intenso do que o dos coribantes[140]: o coração bate e lágrimas escorrem sob o efeito de suas palavras. Noto também que muitos outros são igualmente afetados. Quando ouvia Péricles[141] e outros bons oradores, costumava pensar que falavam bem, mas esse tipo de efeito nunca senti ouvindo-os; nem minha alma foi arrastada em confusão ou fiquei chateado pelo estado miserável de servidão a que minha vida foi submetida. Mas, sob o **(216a)** jugo deste Mársias aqui, muitas vezes, de fato, estive num tal estado que chegava a pensar se valia a pena ter a vida que estava levando. E isso, Sócrates, não poderás dizer que não é verdade.

Mesmo agora estou ciente de que se eu próprio consentisse em dar-lhe ouvidos, não conseguiria resistir, mas sofreria as mesmas paixões. Ele me força a concordar que, sendo muito deficiente, negligencio minha própria alma e, em vez de me educar, volto-me às atividades da política ateniense.

Por isso me forço a fechar os ouvidos e a fugir do seu canto de sereia o quanto posso, de modo a não ficar sentado junto dele até a velhice. Eu **(216b)** experimentei com esse homem o sentimento que ninguém pensaria que poderia existir em mim em relação a quem quer que seja: a vergonha, o sentir-se inferior. Estou consciente de que não sou capaz de argumentar contra suas ideias, pretendendo não fazer o que ele ordena, e quando me afasto dele sei que me rebaixo à condição de quem apenas busca a admiração das massas. Por isso me evado de sua presença e saio em disparada. E sempre que o vejo envergonho-me dos assentimentos que lhe dei. Na verdade, em várias **(216c)** ocasiões eu teria ficado feliz em saber que ele não está mais entre os homens. Por outro lado, se isso de fato ocorresse, sei bem que muito maior seria meu luto do que minha alegria. Assim, não sei o que devo fazer com esse homem.

Isso é, então, o que eu e outros tantos experimentamos por causa da música desse sátiro aqui. Agora ouvi-me como ele é semelhante àqueles com os quais eu o comparei e o quão espantoso é o poder que ele possui. Sabei bem que de fato ninguém de vós o **(216d)** conhece. Vou, contudo, revelá-lo, já que comecei. Notai, pois, que Sócrates tem inclinação amorosa pelos belos: sempre os tem perto de si e por eles fica atordoado. Além disso, ignora tudo e nada sabe. E assim, na medida destas aparências, ele não é como um sileno? Com certeza o é. Ele tem na superfície o aspecto gravado do sileno, mas dentro de si, uma vez que se abriu, vós não imaginais, meus caros simposiarcas, a temperança[142] que há nele. Saibam que ele não tem nenhuma preocupação em saber se **(216e)** alguém é belo. Ao contrário, vós não tendes ideia do quanto ele despreza isso, ou se alguém é rico ou possui qualquer destas distinções que a maioria tanto preza. Ele considera que todas essas posses não possuem valor. E nós – vós podeis acreditar – não significamos nada para ele. Ele passa a vida inteira simulando ignorância e brincando com as pessoas. De outro lado, quando está sério e se deixa ver, não sei se alguém já notou as estátuas que carrega dentro de si. Eu já as vi uma vez e me pareceram de tal **(217a)** modo divinas e douradas, tão belas e extraordinárias, que – para dizer em poucas palavras – faço tudo o que Sócrates me mandar fazer.

Dessa forma, quando pensei que ele ficou seriamente envolvido por minha beleza, tomei isso como um presente divino e um golpe de sorte, pois a partir daí teria a meu dispor, após gratificá-lo, tudo o que Sócrates sabia. Eu tinha, de fato, certa impressão exagerada sobre minha beleza juvenil. Mas com tais propósitos em mente, eu, que até então não tinha o costume de frequentar Sócrates desacompanhado, dispensei o **(217b)** acompanhante e comecei a frequentá-lo sozinho – é preciso, pois, que eu vos diga toda a verdade. Assim, prestai atenção, e se eu proferir falsidades, Sócrates, contesta-me. De fato, eu o encontrava a sós, senhores, sem mais ninguém. E achava que ele iria então, sem mais delongas, dialogar comigo, precisamente o tipo de conversa que um amante teria em particular com o amado. Fiquei em júbilo. Mas nada disso absolutamente ocorreu. Ele conversaria na forma que tinha me acostumado e tão logo tivesse passado o dia comigo, iria embora.

(217c) Depois disso, chamei-o para fazer ginástica e nos exercitamos juntos, na esperança de que, nessa atividade, eu finalmente fosse alcançar meu objetivo[143]. Assim, ele praticava comigo e travamos lutas várias vezes, sem ninguém presente. Mas o que dizer disso? Efetivamente não consegui nada. E dado que não obtive coisa alguma com tais tentativas, decidi que devia atacar o homem pela força e não desistir da luta uma vez iniciada. Tinha que saber, naquela altura, qual era a nossa condição. Convidei-o então para um jantar, exatamente como um amante preparando armadilhas para o objeto de suas **(217d)** pretensões amorosas. Mas nem nisso ele foi rápido em me aceitar, embora tenha sido persuadido depois. Na primeira vez que veio, quis partir logo após o jantar. Na ocasião, sentindo-me embaraçado, deixei-o ir. Mas quando novamente planejei o segundo encontro, depois da comida mantive-o sob conversa noite adentro. Quando ele quis partir, aleguei que estava muito tarde e insisti para ficar, no que tive êxito. Ele então deitou-se no divã próximo do meu, o mesmo no qual jantara há pouco. Ninguém mais dormia no recinto **(217e)** além de nós. Bom, até esse ponto do meu discurso, de fato, eu poderia muito bem relatá-lo a qualquer um. Mas o que é dito a partir daqui vocês não iriam ouvi-lo de mim se não fosse o caso que, antes de tudo, como diz o provérbio, no vinho, com ou sem as crianças, está a verdade[144]. Depois, parece-me injusto omitir o gesto de excepcional desdenho de Sócrates quando me lancei num discurso em seu louvor. Além do mais, o estado do que foi picado pela serpente é de fato igual ao meu. Dizem, pois, que qualquer um que foi picado não tem vontade de descrever o que sentiu, exceto aos que também **(218a)** sofreram o mesmo, pois somente estes irão compreender e simpatizar com tudo o que a vítima disser ou fizer em sua agonia. Eu, contudo, fui mordido por algo ainda mais doloroso e na parte mais sensível: o coração, mente ou como preferir chamar. Fui atingido e picado pelos discursos filosóficos, os quais cravam com mais virulência do que o veneno da víbora quando tomam a alma dos jovens com talentos, levando-os a fazer e dizer todo tipo de coisa. De outro lado, olhando para os Fedros, os Agatões, os Erixímacos, os **(218b)** Pausânias, os Aristodemos, os Aristófanes e o próprio Sócrates – por que não o mencionar? –, além de vários outros, vejo que vós todos partilhastes da loucura e frenesi da filosofia. Por isso ireis me ouvir e sei que me perdoareis pelo que então fiz e agora vos relato. Quanto aos servos ou alguém mais que seja não iniciado e inculto, recomendo que coloque em seus ouvidos portas bem largas.

(218c) Quando então, senhores, a lâmpada se extinguiu e os servos deixaram a sala, decidi que eu não devia mais falar-lhe de modo ambíguo, mas dizer livremente o que estava pensando. Então eu o chacoalhei e disse:

'Sócrates, estás dormindo?'

'Por certo que não, por quê?'

'Por acaso sabes o que pensei?'

'Não, do que se trata?'

'Que para mim tu és o único digno de se tornar meu amante. Tenho a impressão, contudo, de ver-te hesitar em falar comigo a respeito. Mas eis como me sinto: considero um completo contrassenso não te gratificar, tanto nisto como em outros casos **(218d)** nos quais possas precisar de minhas posses ou de meus amigos. Para mim, com efeito, nada é mais importante do que me tornar tão excelente quanto possível e ninguém é tão capaz de ajudar-me nessa tarefa do que tu. Devo dizer ainda que me sentiria muito mais envergonhado diante do que um homem inteligente diria se eu não te gratificasse do que em face da multidão inculta ao ver-me fazê-lo.'

Ele ouviu essas minhas palavras e, com ostensiva ironia, muito característica dele, retrucou: 'Meu caro Alcibíades, parece realmente que tu não és um tolo, se o que dizes a **(218e)** meu respeito for verdade e existir em mim certa capacidade por intermédio da qual poderias te tornar melhor. Provavelmente vês em mim uma beleza inconcebível, deveras distinta da linda aparência que tens. Mas se a visão disso está te fazendo empreender uma barganha comigo para trocar uma beleza por outra, então teu plano não é ter pouca vantagem sobre mim, pois o que estás querendo é adquirir a verdade do que é realmente belo em troca do que é aparentemente belo. Na verdade, pensas obter 'ouro **(219a)** em troca de bronze'[145]. Contudo, meu jovem, examina melhor se não é o caso de que te escapou que não tenho valor algum. Sabes que a percepção da inteligência começa a ver com agudeza quando a visão dos olhos declina[146], e tu ainda estás um bocado longe disso'.

Ouvindo isso, respondi: 'De minha parte, é isso que está acontecendo e não expressei nada além do que realmente penso. Que tu agora decidas sobre o que consideras o melhor para nós dois'.

'Muito bem, no que acabas de dizer, pelo menos, estás corretíssimo' **(219b)**, ele respondeu. 'No futuro avaliaremos e faremos o que for o melhor para nós dois, nesse e em outros temas.'

Então eu, que ouvia e também dizia tais coisas, e tinha, como se diz, lançado minhas flechas, pensava tê-lo acertado. Assim, sem deixá-lo dizer nada mais, levantei e pus meu manto pesado sobre a roupa leve que ele usava, embora fosse inverno. Deitei-me sob o manto e abracei-o com as duas mãos – este homem extraordinário e **(219c)** verdadeiramente um semideus. Assim permaneci com ele por toda a noite. Não poderás, de teu lado, Sócrates, dizer que estou mentindo. Contudo, mesmo fazendo tudo isso, este Sócrates saiu ileso das minhas investidas, e ainda desprezou, zombou e insultou minha beleza física – justo aquele atributo que eu pensava me conceder alguma substância, senhores juízes. De fato, sois vós que ireis atuar como juízes da arrogância de Sócrates. Pois sabei bem que, por todos os deuses e deusas, juro que ao me levantar não achei mais interessante (**219d**) ter passado a noite com Sócrates do que tê-lo feito com meu pai ou com meu irmão mais velho.

Então, depois disso, com que sentimentos imaginais que fiquei? De um lado, considerava que fui desonrado, mas, de outro, estava ainda admirando o caráter deste homem: sua temperança e coragem. Tinha encontrado uma tal espécie de ser humano, voltado à sabedoria e perseverança, como jamais pensaria encontrar. Contudo, não podia irritar-me com ele ou privar-me de sua companhia; tampouco tinha os meios de como (**219e**) deixá-lo vencido. Eu sabia bem que ele era ainda mais incorruptível pelo dinheiro do que Ajax pela espada. De fato, no que pensei ser meu único meio de pegá-lo, ele escapou-me. Estava sem meios, perambulando a esmo, sentindo-me subjugado por este Sócrates como jamais alguém o foi por outro.

Tudo isso, com efeito, já tinha acontecido, quando participamos juntos de um serviço militar em Potideia, onde partilhamos a mesma mesa[147]. Percebi antes de tudo que ele não só me superava nos esforços empreendidos nos navios, como também superava todos os demais. E sempre que éramos privados de suprimentos e obrigados a seguir sem (**220a**) comida, como ocorre nas campanhas, os outros não eram nada comparados à sua resistência no jejum. Nos banquetes, todavia, era único na capacidade de aproveitá-los. Em particular, apesar de preferir não beber, quando forçado costumava bater todos. O que acho mais surpreendente é que nenhuma pessoa jamais viu Sócrates bêbado – disso, aliás, o veremos sob teste a qualquer momento hoje. Sua resistência ao inverno – e as tempestades locais eram terríveis – também foi espantosa. Certo dia, em que sobreveio uma neve das **(220b)** mais severas, todos os soldados evitavam sair, ou, caso arriscassem, envolviam-se numa quantidade absurda de roupas, com os pés bem calçados, amarrados em feltros e peles de ovelhas. Já este homem, nestas condições do tempo, ia para fora com o mesmo manto que usava antes, e mesmo andando descalço percorria o gelo com mais facilidade do que os que estavam calçados. Os soldados olhavam desconfiados, achando que ele os **(220c)** rebaixava.

Bom, para tais eventos, basta, 'mas também que exemplo o resistente soldado demonstrou e suportou'[148] certa vez lá na campanha, vale a pena ouvir. Certa manhã ele se pôs a refletir sobre um problema e se plantou no lugar, examinando-o. Quando viu que não avançava na questão, não desistiu, mas continuava lá, parado e pensando em algo. Já era meio-dia quando os homens notaram o fato: espantados, falavam entre si que Sócrates tinha estado lá desde a aurora, de pé, refletindo sobre alguma coisa. Finalmente, já de tarde, alguns dos jônicos, que já tinham jantado, trouxeram **(220d)** para fora seus leitos de dormir – pois nessa época já era verão –, de modo que podiam dormir ao ar fresco e ao mesmo tempo observar Sócrates para ver se permaneceria ali, noite adentro. E de fato ele ficou até amanhecer e o sol se levantar. Depois caminhou para longe dali, não sem antes fazer uma prece ao Sol.

Se desejais ouvir sobre as batalhas, o que segue me permitirá fazer justiça, ao render-lhe um tributo: no curso do embate pelo qual os generais me concederam o prêmio pelo **(220e)** desempenho, nenhum homem salvou minha vida além de Sócrates. Fui ferido e ele não quis me deixar para trás, mas recolheu-me juntamente com minhas armas[149]. Na verdade, Sócrates, naquele momento solicitei aos generais que dessem a ti a recompensa. Não poderás me censurar por contar isso, nem dizer que não falo a verdade. Contudo, quando os generais estavam considerando me dar o prêmio, em parte por minha posição social, tu mesmo foste mais insistente do que eles em defender que eu o devia levar em vez de ti.

E ainda, em outra ocasião, senhores, vós teríeis apreciado observar Sócrates **(221a)** quando o exército estava se retirando em fuga na batalha de Delio[150]. Ocorreu que eu servi na cavalaria e Sócrates como hoplita[151]. O exército já havia se dispersado e Sócrates se retirava, juntamente com Laques[152], quando me aproximei. Ao vê-los, imediatamente encorajei-os a manterem-se firmes e disse-lhes que não os deixaria para trás. Foi aí então que Sócrates me pareceu ainda mais nobre do que em Potideia – eu tinha menos a temer, pois estava a cavalo. Primeiro de tudo, notei o quanto ele superava Laques **(221b)** no que respeita a manter-se centrado. Depois, me pareceu, como tu aí, Aristófanes, naquela tua expressão[153], que ele se portava lá, como aqui em Atenas, 'impondo-se e lançando os dois olhos de um lado a outro', com calma examinando amigos e inimigos, para ser evidente a qualquer um, mesmo a distância, que se alguém pusesse a mão nesse homem, ele se defenderia com muita força. Por isso ele e seus companheiros partiram em segurança. Pois, como regra, os inimigos sequer tocam aqueles que exibem esse tipo de atitude na guerra. São os precipitados em fuga que eles **(221c)** perseguem.

Assim, certamente, em louvor de Sócrates, alguém poderia mencionar muitos outros casos extraordinários. E, embora talvez haja aspectos desse tipo a se dizer também de outras pessoas no que respeita a outras atividades, o fato de ele não ter semelhança com nenhum outro ser humano, tanto com os de antigamente como com os de hoje, é o mais digno de toda admiração. O tipo de homem que Aquiles se tornou, alguém poderia tomá-lo como referência e medir Brasidas[154] e outros, ou Nestor e Antenor[155], com o que Péricles veio a ser, e assim por diante. E do mesmo modo alguém poderia produzir **(221d)** comparações em outros casos. Mas este aqui se tornou de tal forma um homem não convencional, que se alguém for procurar não irá encontrar ninguém sequer próximo para compará-lo, nem entre os de hoje e tampouco entre os de outrora, exceto talvez se fosse comparado àqueles sobre os quais estou falando: não com qualquer homem, mas com os silenos e sátiros.

Há um detalhe que omiti no começo: que também os discursos dele são **(221e)** semelhantes aos bustos abertos dos silenos. Se alguém estivesse disposto a ouvi-los, iriam parecer muito ridículos na primeira impressão: por fora esses discursos são totalmente revestidos por palavras e frases, de fato um tipo de couro de sátiro insolente. Ele fala de animais de carga, ferreiros, sapateiros, curtidores, parecendo sempre dizer as mesmas coisas com os mesmos termos, de modo que qualquer homem inexperiente e tolo **(222a)** zombaria de seus discursos. Qualquer um que os vir abertos e olhar dentro deles, primeiro irá descobrir que esses discursos são os únicos que possuem um significado próprio. Depois, verão também que são os mais divinos e contêm em si mesmos um grande número de imagens de virtude. Além disso, esses discursos se estendem a muita coisa ou, antes, a tudo que convém ser considerado por quem tem a intenção de se tornar belo e bom.

Isso é o que tenho a oferecer, senhores, em louvor de Sócrates. Também acrescentei ao discurso o que recrimino nele e contei como ele me insultou.

Aliás, isso não foi feito **(222b)** apenas comigo, mas também com Cármides[156], filho de

Glauco, com Eutidemo[157], filho de Díocles, e com vários outros aos quais ele enganou fazendo-se de amante de jovens quando, ao invés de amante, *ele* se torna o objeto do amor[158] deles. Assim, com respeito a estas coisas, efetivamente te alerto, Agatão, para que não sejas enganado por ele e, tendo apreendido as lições precedentes, estejas atento e não sejas tolo, como diz o provérbio, por aprender apenas pelo sofrimento."

(222c) Tendo dito então estas coisas, houve risos pela franqueza de Alcibíades, pois parecia ainda envolvido amorosamente com Sócrates.

Sócrates então falou: "Penso que tu estás sóbrio, Alcibíades, pois, do contrário, não terias tentado embalar-te tão astutamente sob a capa do teu discurso para encobrir a razão de tudo isso que disseste. Fazendo parecer se tratar de um aspecto secundário, tu estabeleceste o alvo no fim do discurso, como se tudo não tivesse sido expresso por (222d) esse motivo: criar desavença entre mim e Agatão. Pois pensas que devo amar a ti e a nenhum outro, e que Agatão deve ser amado por ti e por mais ninguém. Isso, com efeito, não me escapou e o propósito desse teu drama de sátiros e silenos ficou evidente. Então, meu caro Agatão, não deixes nada mais ser concedido a Alcibíades. Cuida para que ninguém nos divida".

(222e) Agatão então respondeu: "Acredito mesmo que estás certo, Sócrates. Dou como evidência, aliás, que ele se deitou entre mim e ti no divã, de modo a nos manter separados. Nada mais será concedido a Alcibíades e eu vou me reclinar aqui junto de ti".

"Por favor, faz isso", disse Sócrates. "Reclina-te aqui à minha direita."

"Por Zeus!", disse Alcibíades. "Olha o modo como sou tratado de novo por esse homem! Ele pensa que deve em tudo obter o melhor de mim. Mas, maravilhoso amigo, se nada mais o for, permite que Agatão se deite entre nós dois."

"Isso não é possível", disse Sócrates. "Pois tu me elogiaste[159]. Devo, pois, na minha vez, elogiar o que está à direita. Mas se Agatão estiver entre nós, serei por certo novamente elogiado, em vez de ele receber o elogio de mim, não é?[160] Então, concede **(223a)** isso, divino amigo, e não invejes o elogio que o jovem receberá de mim, pois, de fato, é grande o meu desejo de fazê-lo."

"Uau!", exclamou Agatão. "Alcibíades, não há como eu ficar aqui. Antes de qualquer outra coisa, vou mudar de lugar para ser elogiado por Sócrates."

"Lá vamos nós de novo!", disse Alcibíades. "Com Sócrates presente é impossível outro receber um olhar dos belos. E que fluente e persuasiva eloquência ele achou para este aqui sentar-se a seu lado!"

(223b) Assim, Agatão se levanta para deitar-se à direita de Sócrates. De repente, foliões em grande número chegam às portas, deixadas abertas enquanto alguém saía. Vão direto para a sala de jantar e tomam seus lugares. Havia barulho por todo lado, todos foram compelidos a beber muito vinho e já não restava nenhuma ordem. Aristodemo contou que Erixímaco, Fedro e outros foram embora dali, enquanto ele próprio caiu no sono **(223c),** adormecendo por horas – porque as noites nessa época eram longas –, vindo a despertar no raiar do dia, com os galos cantando. Ainda acordando, Aristodemo viu que alguns dormiam e outros tinham ido embora, mas Agatão, Aristófanes e Sócrates eram os únicos a estarem despertos. Estavam bebendo de uma grande jarra que passavam da esquerda para a direita. Sócrates ainda discursava para eles. Quanto aos detalhes do **(223d)** discurso, Aristodemo disse que não se lembrava, por não ter presenciado o começo e ainda estar meio sonolento. No geral, ele disse, Sócrates os forçava a admitirem que o mesmo homem pode reunir o conhecimento necessário para produzir comédias e tragédias, e que o verdadeiro compositor de tragédias é também um compositor de comédias. Assim, Sócrates os levava a admitirem essas coisas, mas seguiam mal o argumento, por causa do sono. Aristófanes adormeceu primeiro e já começava a surgir o dia quando Agatão também dormiu. Então Sócrates, depois de tê-los arrastado para o leito, levantou-se e saiu dali. Aristodemo, como de costume, seguiu-o. Ao chegar no Liceu, Sócrates asseou-se e ocupou seu tempo ali o resto do dia, como sempre fazia. E assim, à tardezinha, foi para casa repousar.

Notas

1. KRAUT, R. "Introdução ao estudo de Platão". In: KRAUT, R. (org.). *Platão*. Aparecida: Ideias & Letras, 2013.

2. A edição do texto grego que usamos é a de John Burnet (*Oxford Classical Text*). Os números (172a, 172b...) são conhecidos como "paginação de *Stephanus*", em referência à numeração que acompanha todas as obras de Platão, introduzida na edição latim-grego de 1578 por Henricus Stephanus. Utilizamos também, com bastante proveito, a edição de Kenneth Dover (DOVER, K. *Plato Symposium*. Cambridge: CUP, 1980), especialmente os comentários e as informações históricas, bem como a versão do texto de Burnet comentada por Geoffrey Steadman (STEADMAN, G. *Plato's Symposium*, 1999). Também consultamos as seguintes traduções modernas: PLATÃO. *O Banquete*. São Paulo: Abril, 1983 [1972] [Coleção *Os Pensadores*] [Tradução de José C. de Souza]. • SCHÜLER, D. *Platão*: O Banquete. Porto Alegre: L&PM, 2009 [Tradução, notas e comentários de Donaldo Schüler]. • HOWATSON & SHEFFIELD (ed.). *Plato*: The Symposium. Cambridge: CUP, 2008 [Tradução de M.C. Howatson]. • GILL, C. *Plato*: The Symposium. Londres: Penguin, 1999. • VICAIRE & LABORDERIE. *Platon*: Le Banquet. Paris: Les Belles Lettres, 2008. O leitor que desejar aprofundar a interpretação do diálogo pode consultar: BURY, R.G. *The Symposium of Plato* – With introduction, critical notes and Comentary. Cambridge: W. Heffer and Sons, 1932. O volume de Christopher Gill (acima) traz uma excelente introdução e uma bibliografia atualizada sobre vários tópicos do *Banquete*. Para interpretação de temas gerais da filosofia platônica indicamos a tradução brasileira do *The Cambridge Companion to Plato* (KRAUT, R. (org.). *Platão*. São Paulo: Ideias & Letras, 2013). Nas notas de rodapé colocamos informações mínimas sobre alguns termos, nomes e fatos históricos citados. Informações mais completas sobre personagens e eventos

históricos – citados no *Banquete* ou que rondam seu contexto dramático – podem ser encontradas em NAILS, D. *The People of Plato*. Indianápolis/Cambridge: Hackett, 2002.

3. As informações que temos sobre Apolodoro, além do que está no diálogo, são escassas; o "companheiro" citado é desconhecido.

4. Falero é um porto a aproximadamente 6km de Atenas.

5. Não temos informações claras sobre que tipo de brincadeira se trata. Para especulações a respeito cf. Bury, 1932; Souza, J.C, 1983, p. 7.

6. Amor traduz *Erōs*, substantivo derivado do verbo *eran*: amar apaixonadamente, estar apaixonado, ter desejo por algo.

7. Este amigo é Sócrates.

8. A vitória de Agatão no concurso de tragédias se deu em 416 a.C. Platão devia ter de 10 a 12 anos nessa época. Famoso por sua beleza, Agatão tinha um relacionamento de longa data com Pausânias, também presente no *Banquete*. Tinha cerca de 30 anos na época dramática do diálogo. Para mais detalhes, cf. Nails, 2002, p. 9-10.

9. Pouco se sabe deste personagem além das informações relatadas no *Banquete*.

10. *Erastēs*, amante. O termo *erastēs*, no *Banquete*, é usado para o parceiro mais velho na relação amorosa entre homens. Mas na presente passagem é provável que *erastēs* não tenha a conotação de "amante", mas de um tipo de devoção afetiva: Aristodemo tinha forte admiração por Sócrates. Cf. uso semelhante em Protágoras 317c: Sócrates e Hipócrates são *erastai* (fãs) de Protágoras (Cf. DOVER, 1980, p. 4).

11. *Kakodaimōn*, desafortunado, infeliz, desprovido de *eudaimonia* (felicidade).

12. Sócrates, filósofo ateniense, mestre de Platão. Viveu entre 469 e 399 a.C., ano em que foi condenado à morte num julgamento orquestrado por seus inimigos, em Atenas. Não deixou nada escrito. A obra de Platão é a fonte principal das ideias socráticas, mas é difícil sabermos o que, nos textos platônicos, é um pensamento de Platão atribuído a Sócrates ou é um pensamento genuinamente

socrático. Para um relato histórico da relação entre as ideias de Sócrates e as de Platão cf. ARISTÓTELES. *Metafísica*, 987b, 1078b-1079a e 1086a-b.

13. Segundo Sheffield & Howatson (2008), Sócrates teria em mente um provérbio que diz: "À festa de homens inferiores os bons vão sem serem convidados".

14. Brincadeira de Sócrates com o nome de Agatão: o plural *"agathōn"* significa "dos bons".

15. Cf. HOMERO. *Ilíada* 17, 588. Agamênon é o chefe do exército grego na Guerra de Troia. Menelau é seu irmão, casado com a belíssima Helena. O motivo declarado da guerra é o rapto de Helena pelo troiano Páris (Helena e Páris se apaixonaram), o que desencadeou a fúria de Menelau e deu oportunidade a Agamênon para convocar os gregos a lançarem-se contra os troianos.

16. Aristodemo se refere ao fato de chegar sozinho, pois ele e Sócrates tinham combinado que encontrariam uma forma de justificar a presença de Aristodemo na casa de Agatão, já que aquele não foi convidado. Notemos como Agatão logo justifica que teria chamado Aristodemo no dia anterior, mas não conseguiu encontrá-lo.

17. Os convidados se deitam num tipo de divã: voltam a parte superior do corpo para a esquerda, apoiando o cotovelo em almofadas, o que permite que possam, com a mão direita, se servirem de bebida e comida numa mesa ao lado do divã.

18. Pausânias era amante de Agatão. Os dados históricos sobre sua vida são escassos. Cf. Nails, 2002, p. 222.

19. Aristófanes (450-386 a.C.) é um célebre comediógrafo grego, nascido em Atenas. Temos apenas 11 das cerca de 40 peças que escreveu. Uma das mais conhecidas é *As nuvens*, na qual satiriza Sócrates. Para detalhes, cf. Nails, 2002, p. 54-57.

20. Originário do distrito de Mirrinote, Fedro pertencia ao círculo de Sócrates. Esteve envolvido, em 415 a.C., no episódio conhecido como "profanação dos mistérios de Elêusis" (cf. NAILS, 2002, p. 232), pelo qual foi exilado. Faleceu em 393 a.C. Platão dedicou-lhe o diálogo *Fedro*.

21. Jovem mulher instrumentista de *aulos*, um instrumento musical de sopro constituído de um ou mais tubos. É similar à flauta – e geralmente traduzido por esse

termo –, mas optamos por manter o termo original. Mulheres podiam ser contratadas nos *sūmposia* para tocarem esses instrumentos; algumas vezes se tornavam parceiras sexuais dos convidados (cf. DOVER, 1980, p. 87).

22. *Melanipa, a Sábia*, tragédia perdida de Eurípedes. O verso mencionado por Erixímaco é "não é minha a história, mas de minha mãe" (cf. SOUZA, 1983, p. 11).

23. *Enkōmion*: discurso em louvor de um objeto ou pessoa. Também chamado de *epainos*, louvor.

24. Filósofo ateniense de Ceos.

25. HESÍODO. *Teogonia*, 116-120.

26. Compositor de genealogias do século V a.C.

27. Não é claro quem é "ela". Talvez a deusa Justiça (cf. SOUZA, J.C., 1983, p. 13). Outras sugestões em Dover, 1980, p. 91. Cf. tb. Parmênides, B 13, Diels-Kranz.

28. Traduzimos *erōmenos* e *paidikos* por amado e *erastēs* por amante. Os dois primeiros termos se referem ao indivíduo mais jovem na relação, normalmente o objeto do amor. O último é quem desenvolve o desejo pela pessoa amada. Para uma análise sucinta do tema, cf. Gill (1999, p. xiii-xv). Dover e Foucault exploraram o tema, respectivamente, em: DOVER, K.J. *A homossexualidade na Grécia antiga*. São Paulo: Nova Alexandria, 2007. • FOUCAULT, M. *História da sexualidade 2*: o uso dos prazeres. Rio de Janeiro: Graal, 1984.

29. *Ilíada* X, 482; XV, 262. • *Odisseia* IX, 381.

30. Para detalhes cf. a tragédia *Alceste*, de Eurípedes.

31. Músico grego.

32. Poeta grego.

33. A versão popular do mito de Orfeu é um pouco diferente.

34. Aquiles é o principal personagem da *Ilíada* de Homero.

35. As mulheres não escravas de Atenas viviam sob um regime de vigilância por parte dos homens (pais, maridos, parentes) para que não tivessem, sobretudo, envolvimentos sexuais com outros homens (cf. HOWATSON & SHEFFIELD, 2008).

36. Mais precisamente, sob o domínio dos persas, se Platão está escrevendo o *Banquete* depois de 385 a.C. (cf. HOWATSON & SHEFFIELD, 2008).

37. Os ginásios são os locais públicos frequentados por jovens atenienses para exercícios físicos, mas também para conversações filosóficas.

38. Ambos mataram Hiparco, irmão de Hípias, tirano de Atenas, o que precipitou a queda do governo deste último.

39. O texto em 183a1 diz que essas censuras são feitas pela "filosofia", termo que omitimos na tradução. O problema é que não faz sentido dizer que é a filosofia que faz tais censuras. Talvez o termo "filosofia" seja um acréscimo posterior.

40. Referência a HOMERO. *Ilíada* II, 71.

41. A referência é a *pausaniou pausamenou*: termos semelhantes e mesmo número de sílabas, conforme a tradição retórica. Aqui é Apolodoro, narrador principal, que menciona essa regra.

42. Erixímaco era médico e amigo de Fedro. Para detalhes de sua vida, cf. Nails, 2002, p. 143-144.

43. Erixímaco se refere a homens e mulheres.

44. Para Erixímaco a medicina é a ciência sobre o equilíbrio dos elementos no organismo: um caso de doença é visto como excesso da presença de alguns elementos e ausência de outros. Por isso traduzimos o par *plēsmonē-kenōsis* como saciedade-vacuidade.

45. Aristófanes e Agatão. Asclépio é patrono da medicina.

46. *Sumphonia*. Provavelmente Platão não tem em mente a concepção de sinfonia como audição simultânea de notas diferentes (cf. DOVER, 1980, p. 108).

47. Erixímaco quer dizer que na constituição da música só se manifesta a forma sadia de amor, conforme a distinção posta por Pausânias no discurso anterior.

48. Cf. 186d.

49. Aristófanes se refere às características efeminadas dos que são chamados por esse nome.

50. *Ilíada* V, 385. • *Odisseia* IX, 305.

51. Cf. PLUTARCO. *Moralia*, 770b.

52. *Sūmbolon* no original: indica uma moeda ou pedaço partido de um objeto que representava compromisso entre duas pessoas.

53. Hefesto é o deus da fundição.

54. Segundo Xenofonte (*Helênicas*, 5, 2), os espartanos destruíram Mantineia, na Arcádia, em 385 a.C., e dispersaram seus habitantes. Há aqui um anacronismo, pois o diálogo se passa em 416 a.C. Essa referência serve, contudo, para termos uma ideia aproximada da data de composição do *Banquete*.

55. Cf. *sūmbolon*, acima.

56. Deve-se notar aqui a relevância filosófica desse princípio. Trata-se de uma tese semelhante ao que ensina Sócrates nos textos de Platão: uma investigação sobre *o que é algo* deve se dirigir primeiro à essência do tema, para só então se debruçar sobre seus efeitos. Em 199c Sócrates elogia Agatão por ter proposto isso. Em 201e o procedimento é retomado por Sócrates no contexto da descrição de Diotima.

57. Comparar com 178a-b, onde Fedro diz que o Amor é o mais velho dos deuses.

58. *Aretē*, virtude, excelência de algo.

59. Essa expressão é do retórico Alcidamas (cf. ARISTÓTELES. *Retórica*, 1406a17-23).

60. *Sōphrosūnē*.

61. *Andreia*.

62. Cf. SÓFOCLES. *Thüestes*, fr. 235. Agatão coloca "Amor" no lugar do termo "Necessidade", presente no texto de Sófocles.

63. Cf. *Odisseia*, 8, 266-366.

64. *Sophia*.

65. Sentença de *Stenobeia*, tragédia perdida de Eurípedes, que significa "não importa quão estranho à poesia tenha sido antes".

66. *Odisseia*, 633-635.

67. O sentido desse termo aqui é amplo: questões do amor.

68. Cf. *enkōmion* na *Introdução*.

69. Cf. EURÍPEDES. *Hipólito*, 612.

70. Sócrates se refere a seu compromisso de se juntar aos elogios, seguindo o método tradicional, pois constata que as características desse método não se adequam bem a seu estilo.

71. Sócrates descarta um aspecto do termo "de" em referência à origem (como um filho é filho *de* um determinado pai) para destacar o objeto do amor. Assim, "amor" é "de alguma coisa", da mesma forma que "fome" é fome de comida, "saudade" é falta de alguém ou de algo, "pai" é pai de alguém, e assim por diante.

72. Há alguma discussão entre os leitores do *Banquete* sobre a referência do termo "isso" no texto. Entendemos que Sócrates está pedindo a Agatão para considerar como um ponto de acordo a tese de que o amor tem sempre um objeto: é amor de alguma coisa.

73. Cf. 197b.

74. Trata-se da epidemia de 430 a.C., no início da Guerra do Peloponeso (cf. BURY, 1932).

75. Sócrates está dizendo que ela concebeu os ritos feitos pelos atenienses para afastar a doença.

76. As perguntas *tis estin* e *poios tis* aqui são complementares, mas distintas. Agatão tinha sugerido em 194e-195a que se deve tratar primeiro do ponto de vista da questão Que tipo de coisa é? (*poios tis*). Sócrates introduz aqui sua tradicional pergunta pela essência de algo: *O que é* (*tis esti* ou *ti esti*).

77. No texto *eiē de tōn kalōn* pode significar (i) que o Amor tem as coisas belas como objeto ou (ii) que a beleza é um dos atributos do Amor. Agatão expressou as duas possibilidades. Cf. 197b e 201a para a primeira e 195a para a segunda. Diotima irá criticar a tese de que o Amor tem a beleza como um atributo próprio.

78. Para uma discussão mais ampla nos textos de Platão sobre a distinção entre opinião correta, conhecimento e ignorância, cf. *República* 477-480. • *Mênon* 97-99. • *Teeteto* 187-210.

79. Aqui Platão segue uma prática habitual: muda os termos para não se repetir. Antes usou *epistasthai*

para conhecimento, agora usa *prhonēsis*. Ambos são sinônimos nesse contexto.

80. '*daimōn*, espírito ou gênio.

81. Isto é, o todo constituído por espíritos, homens e deuses.

82. A história que segue apresenta ideias abstratas (pobreza, recurso, sabedoria) representadas por deuses, uma característica da cultura mítica dos gregos. O expediente permite a explicação dos atributos do Amor como resultado da fusão de determinadas características das entidades que o conceberam.

83. Deusa da sabedoria, primeira esposa de Zeus. Significa também "perspicácia, astúcia, prudência".

84. *Philosopheō*, buscar o saber, esforçar-se para se tornar instruído, meditar, refletir, ocupar-se de forma metódica com algo científico.

85. *Philosophos*, filósofo, quem tem afinidade, amizade com a sabedoria. Quem ama, pratica uma arte ou ciência.

86. *Euporos*, detentor de recursos (materiais ou intelectuais), algo praticável com relativa facilidade.

87. *Eudaimōn*, feliz, indivíduo bem-aventurado.

88. A resposta fornece um *telos* (fim, acabamento, finalização, fim último) *à pergunta sobre o que motiva o desejo de coisas boas*: é a felicidade que isso proporciona. Não há uma meta a ser buscada além da felicidade. Para um desenvolvimento posterior da tese de que a felicidade (*eudaimonia*) é um fim último, cf. ARISTÓTELES. *EN*, I, 7.

89. O natural em grego seria tomar *aei* com *boulesthai*, mas, conforme o que Diotima diz em 206a, é perfeitamente aceitável tomar *aei* com *einai*. Em 206a Diotima diz que o Amor é o desejo de possuir o que é bom *para sempre*.

90. *Poiēsis*, ação de fazer, de produzir algo. Alguns tradutores optam por termos como "composição" ou "produção". Preferimos manter o original, mas o leitor deve ter em mente que nosso termo "poesia" já não guarda quase nenhuma relação com o termo grego. Até mesmo o sentido específico citado por Diotima, a *poesia* dos versos tal como os gregos a faziam, é muito diferente da poesia moderna.

91. Talvez uma citação de um poeta, mas ninguém sabe de quem.

92. É o relato de Aristófanes em 191d-193d.

93. *Ergon*: função ou tarefa.

94. Vários leitores alegam que há uma ambiguidade na preposição grega "*en*" (no, em) aqui: pode significar que o Amor é dar à luz "em" (dentro de) algo que é belo ou "na presença" de algo que é belo. Penso que o segundo sentido é muito fraco, pois a metáfora enfatiza que o desejo amoroso se volta aos objetos belos com o desejo de procriar neles. Isso significa, sobretudo, ter a posse desses objetos e produzir ações ou realizações.

95. *Tokos en kalō(i)*. Diotima usará a partir daqui uma linguagem de concepção e geração: *tokos*, *gennēsis*, *tiktein*, *kuēsis*. É a chamada "metáfora da gravidez": o Amor como um processo de concepção, gestação e nascimento no belo. O termo *tokos* pode se referir tanto à ação de parir ou gerar quanto ao produto gerado (cria, filho). O que Diotima está dizendo é que o Amor tem como desejo último a geração de um filho ou um produto no belo, isto é, no que possui beleza.

96. *Kuosin*. O verbo *kueō* aqui significa "levar em seu seio, ficar grávida". Não deixa de ser surpreendente o uso desse verbo, característico da gestação feminina, para retratar a gravidez no corpo e na alma de "todos os seres humanos" (*pantes anthrōpoi*). Importante notar que a metáfora da gravidez na descrição de Diotima enfatiza que homens e mulheres são fecundos e querem dar à luz a diferentes espécies de "filhos", como veremos adiante.

97. *Aischros*: significa fealdade em sentido físico e moral.

98. *En de tō(i) kalō(i)*. Como *aischros*, *kalos* (belo) também tem sentido estético e moral.

99. *Eileithyia* e *Moira* são deusas dos nascimentos.

100. *to kuoun* = fecundo, germinante, grávido, fértil. A metáfora da gravidez usada por Diotima e os vários termos correlatos (*tiktein*, *gennan*, *tokos*, *gennēsis*) se aplicam a diferentes contextos de procriação e geração. Mas provavelmente o texto de 206d está se referindo ao processo físico da ejaculação masculina (*tokos* é usado para o parto da mulher, mas poderia também indicar

a concepção como fruto da fecundação masculina). Note-se que em 208e Diotima diz que os homens que estão fecundos em seus corpos buscam sobretudo as mulheres. De outro lado, o início do relato, em 206c, diz que 'todos os seres humanos são capazes de fecundar'. Há, portanto, uma ambiguidade entre um uso geral da imagem da gravidez – cujo exemplo natural é a mulher – e a aparente escolha do macho como responsável pela procriação. Uma alternativa para escapar da ambiguidade talvez seja tomar a metáfora do ponto de vista de sua função no texto. Diotima não quer enfatizar a concepção natural e seus desdobramentos físicos, ainda que em 206c ela provavelmente esteja usando reações sexuais masculinas para indicar uma instância de concepção no belo (cf. DOVER, 1980, p. 147). Seu objetivo tem um escopo maior: defender que "dar à luz" (*tiktein*) no belo tem diferentes formas e suas instâncias ocorrem no corpo e na alma de diferentes seres vivos.

101. *Tēs gennēseōs*. *Gennēsis* é geração, produção, criação.

102. *Melete*: tem também o sentido de revisão ou prática.

103. A fonte dessa citação é desconhecida.

104. Cf. o discurso de Fedro em 179b-d.

105. Cf. 179e-180a.

106. Os manuscritos medievais do *Banquete* traziam outro termo aqui: *theios* (divino, inspirado divinamente), corrigido para *ēitheos* (não casado, solteiro) por Parmentier, pois *theios* parece não fazer muito sentido nesse contexto.

107. O exemplo de Homero e Hesíodo, mencionado a seguir, indica que aqui o sentido de "filhos" é bem amplo: qualquer produção (obras, seguidores, ações gloriosas).

108. Famoso legislador espartano, criador das instituições legais e militares daquela cidade. Os "filhos" de Licurgo são essas realizações.

109. Poeta, moralista e legislador ateniense. Suas leis permitiram o estabelecimento efetivo da democracia em Atenas no século VI.

110. *Ta de teleia kai epoptika*: são os estágios finais na preparação dos "mistérios de Elêusis". O segundo termo é um refinamento do primeiro. Cf. Bury, 1932, p. 124.

111. *Ho egoumenos*: guia, condutor, líder.

112. José Cavalcante (1983, p. 41) notou acertadamente que nesse degrau da compreensão do belo não há amor físico entre os parceiros. De fato, o amor sexual foi discutido em 209c-210a no contexto do argumento da imortalidade, buscada através da produção de filhos, sejam os naturais ou as obras concebidas pelo trabalho intelectual. Ali a relação sexual não é, como pode parecer, mero expediente para um indivíduo perpetuar, mas é descrita como uma força natural cujo propósito escapa a quem não reflete, como Diotima, sobre isso. Mas a partir da solene introdução de Sócrates aos "altos mistérios" (*epoptica*, 210a-212b), trata-se de explicar como uma pessoa pode passar da percepção de instâncias do belo (o belo nos corpos, nas obras, nas ações) para a compreensão de sua unidade essencial: a Forma do belo.

113. *Eidos*. Provavelmente Platão está usando o termo em seu sentido filosófico: o aspecto unitário que um objeto possui quando pensado sob a perspectiva de suas propriedades essenciais.

114. Alternativa: considerar a beleza de todos os corpos sob a forma de sua unidade e identidade: (*hen te kai tauton hēgeisthai*).

115. O sentido do adjetivo *sūngenes* aqui é: todas as instâncias de belo possuem a mesma *origem comum*. Cf. Dover: "o belo manifesto em todas as coisas belas é em última instância um" (1980, p. 156).

116. Platão usa aqui termos que sugerem percepção direta ou visão instantânea (*katopsetai*, *exaiphnēs*) da Forma do belo. Mas deve-se notar que Diotima enfatiza, no contexto, o progresso intelectual desse processo. Assim, não é propriamente uma "visão direta", sem mais, mas uma compreensão filosófica sobre a distinção entre instâncias de beleza e a própria Forma da beleza. A compreensão dessa ideia se dá no último estágio, quando o progresso intelectual se transforma num esclarecimento súbito e simples, possível somente àquele que empreendeu os difíceis passos anteriores.

117. *Aei on* (cf. tb. 211b): notar o contraste da Forma do belo – cujo ser é sempre o mesmo e não

sofre geração, destruição, acréscimo ou diminuição – com itens que dependem de uma forma de ver, do tempo, do lugar, da medida de comparação, da visão das pessoas, de traços físicos ou das espécies de objetos tomados como belos (cf. 211a-b). Outros textos de Platão apresentam uma descrição similar das Formas. Cf. sobretudo *Fédon* 65d-66a, 78c-89e. Para exemplos de Formas, cf. *Fédon* 65d, 75c, 75e, 100b, 103e, 104a-c, 105d, 106d. Para um exame crítico, cf. *Parmênides* 129-135.

118. *Monoeides aei on*. Alternativa: é sempre unitário na espécie ou na forma. Cf. *Fédon* 78d5.

119. Em diferentes lugares (210a2, a4, a6, e3, 211b5, b7) Diotima enfatiza que essa forma de amor aos jovens deve ser usada de modo adequado, o que significa que seu objetivo deve ser a educação filosófica (cf. DOVER, 1980, p. 158).

120. Aqui temos uma recapitulação de 210a-211b.

121. Lendo *hina gnōi* (cf. Dover) em 211c8.

122. Diotima sugere uma faculdade como a inteligência. Cf. *República* 490b, 518c, 519b.

123. Cf. 176e.

124. Alcibíades (451-404 a.C.), de família nobre e rica de Atenas, destacou-se na política. Tinha acentuada beleza e personalidade, além de um talento em oratória. Teve atuação importante na Guerra do Peloponeso, mas caiu em desgraça perante a opinião pública ateniense por ter sido um dos incentivadores da fracassada campanha militar na Sicília, no ano de 415 a.C. Para mais detalhes, cf. Nails, 2002, p. 10-17.

125. Alcibíades refere-se à coroa que está usando em sua própria cabeça, destinada a Agatão.

126. Desde que viu Sócrates, Alcibíades esteve falando de pé.

127. Cf. 213a.

128. *Pūkteros*: grande jarro usado para conservar o vinho e outros líquidos.

129. *Kotūlē*: equivale a mais ou menos 1/4 de litro.

130. Cf. 176c; 220a.

131. Cf. HOMERO. *Ilíada*, XI, 514: a frase original é dita no contexto em que Idomeneu insiste para que Nestor retire um médico ferido do campo de batalha.

132. Silenos ou sátiros: criaturas míticas que integravam a *entourage* de Dioniso (deus do vinho). Exibiam obscenidade, embriaguez, malícia. Alguns utensílios antigos os retratam com características de animais, com orelhas e rabos de cavalos ou traços de bode-cervo. Também desenhados com nariz arrebitado e olhos protuberantes, como Sócrates em *Teeteto* 143e.

133. *Auloi.* Cf. nota 21.

134. Excelente profissional de *aulos* (*aulētēs*): teria disputado uma competição musical com Apolo, quando perdeu e foi esfolado pelo deus.

135. Não é a mesma insolência (*hūbris*) dos sátiros, que assaltam sexualmente as pessoas, em parte impulsionados pelo efeito da bebida. A insolência socrática será descrita por Alcibíades adiante.

136. *Aulētēs*: profissional do *aulos*.

137. Segundo a mitologia, Olimpo é o inventor do *aulos* e de várias melodias antigas.

138. Cf. nota 21.

139. Para o uso da música na religião, cf. *Ion*, 533-534. • *Minos* 318b, em Platão. • *Política* 1340a, em Aristóteles.

140. Seguidores dos cultos orgiásticos da deusa frígia Cibele. Os coribantes dançavam intensamente e seus movimentos tinham efeitos catárticos sobre quem assistia, em especial sobre os doentes.

141. Influente político ateniense (495-429 a.C.), considerado o pai da democracia em Atenas. Foi excelente orador, com uma capacidade inigualável de levar a audiência a seguir os argumentos e as escolhas políticas que julgava as mais acertadas.

142. *Sōphrosūnē*. Alternativas de tradução: autocontrole, inteligência.

143. Esses exercícios de ginástica eram feitos nos ginásios, com os homens frequentemente nus.

144. O provérbio original é: *oinos kai paides alētheis* (o vinho e as crianças mostram a verdade). Mas como o termo para "crianças" é o mesmo para "escravos" ou "garotos" (*paides*), o sentido do provérbio pode variar. Cf. Dover, 1980, p. 169, para um breve comentário.

145. HOMERO. *Ilíada*, 6, 322-326.

146. O sentido é claro, mas o texto grego aqui é incerto.

147. Cidade da costa noroeste da Grécia. Em 432 a.C. houve uma revolta contra o controle ateniense e a cidade foi sitiada por dois anos.

148. HOMERO. *Odisseia*, 4, 242.

149. Por que resgatar também as armas? Porque voltar da batalha sem as armas poderia levantar suspeitas de abandono antecipado, já que o guerreiro poderia tê-las jogado para fugir mais rápido.

150. A Beócia foi invadida pelos atenienses em 424 a.C. Pouco depois da invasão, os atenienses foram derrotados perto de Delio, sudeste da Beócia, quando voltavam para casa.

151. Combatente a pé. Usava armas pesadas, como escudo, lança e uma espada curta.

152. General ateniense, amigo de Sócrates. Morto em 418 a.C. Platão escreveu um diálogo sobre a coragem (*andreia*) e intitulou-o com o nome desse general.

153. *As nuvens*, 362.

154. Comandante espartano de muita habilidade e coragem. Atuou sobretudo no início da Guerra do Peloponeso (431-404 a.C.), e foi morto numa batalha em 422 a.C.

155. Na *Ilíada*, Nestor e Antenor são conselheiros, respectivamente, dos gregos e troianos.

156. Jovem aristocrata ateniense, admirador de Sócrates e irmão da mãe de Platão. O diálogo de Platão sobre a noção de *sōphrosūnē* (temperança) recebeu o nome de *Cármides*.

157. Este Eutidemo não é o sofista que nomeia outro diálogo de Platão, mas um jovem frequentador do círculo de Sócrates.

158. *Kathistatai* (se torna) *paidika* (objeto do amor, jovem amado).

159. Isto é, produziu um *epainos* (discurso elogioso) em honra de Sócrates, como os demais convivas o fizeram para o Amor.

160. Cf. 213a.

Vozes de Bolso

- *Assim falava Zaratustra* – Friedrich Nietzsche
- *O Príncipe* – Nicolau Maquiavel
- *Confissões* – Santo Agostinho
- *Brasil: nunca mais* – Mitra Arquidiocesana de São Paulo
- *A arte da guerra* – Sun Tzu
- *O conceito de angústia* – Søren Aabye Kierkegaard
- *Manifesto do Partido Comunista* – Friedrich Engels e Karl Marx
- *Imitação de Cristo* – Tomás de Kempis
- *O homem à procura de si mesmo* – Rollo May
- *O existencialismo é um humanismo* – Jean-Paul Sartre
- *Além do bem e do mal* – Friedrich Nietzsche
- *O abolicionismo* – Joaquim Nabuco
- *Filoteia* – São Francisco de Sales
- *Jesus Cristo Libertador* – Leonardo Boff
- *A Cidade de Deus – Parte I* – Santo Agostinho
- *A Cidade de Deus – Parte II* – Santo Agostinho
- *O conceito de ironia constantemente referido a Sócrates* – Søren Aabye Kierkegaard
- *Tratado sobre a clemência* – Sêneca
- *O ente e a essência* – Santo Tomás de Aquino
- *Sobre a potencialidade da alma* – De quantitate animae – Santo Agostinho
- *Sobre a vida feliz* – Santo Agostinho
- *Contra os acadêmicos* – Santo Agostinho
- *A Cidade do Sol* – Tommaso Campanella
- *Crepúsculo dos ídolos ou Como se filosofa com o martelo* – Friedrich Nietzsche
- *A essência da filosofia* – Wilhelm Dilthey
- *Elogio da loucura* – Erasmo de Roterdã
- *Utopia* – Thomas Morus
- *Do contrato social* – Jean-Jacques Rousseau
- *Discurso sobre a economia política* – Jean-Jacques Rousseau
- *Vontade de potência* – Friedrich Nietzsche
- *A genealogia da moral* – Friedrich Nietzsche
- *O banquete* – Platão
- *Os pensadores originários* – Anaximandro, Parmênides, Heráclito
- *A arte de ter razão* – Arthur Schopenhauer
- *Discurso sobre o método* – René Descartes
- *Que é isto – A filosofia?* – Martin Heidegger
- *Identidade e diferença* – Martin Heidegger
- *Sobre a mentira* – Santo Agostinho
- *Da arte da guerra* – Nicolau Maquiavel
- *Os direitos do homem* – Thomas Paine
- *Sobre a liberdade* – John Stuart Mill

Vozes de Bolso

- *Assim falava Zaratustra* – Friedrich Nietzsche
- *O Príncipe* – Nicolau Maquiavel
- *Confissões* – Santo Agostinho
- *Brasil: nunca mais* – Mitra Arquidiocesana de São Paulo
- *A arte da guerra* – Sun Tzu
- *O conceito de angústia* – Søren Aabye Kierkegaard
- *Manifesto do Partido Comunista* – Friedrich Engels e Karl Marx
- *Imitação de Cristo* – Tomás de Kempis
- *O homem à procura de si mesmo* – Rollo May
- *O existencialismo é um humanismo* – Jean-Paul Sartre
- *Além do bem e do mal* – Friedrich Nietzsche
- *O abolicionismo* – Joaquim Nabuco
- *Filoteia* – São Francisco de Sales
- *Jesus Cristo Libertador* – Leonardo Boff
- *A Cidade de Deus – Parte I* – Santo Agostinho
- *A Cidade de Deus – Parte II* – Santo Agostinho
- *O conceito de ironia constantemente referido a Sócrates* – Søren Aabye Kierkegaard
- *Tratado sobre a clemência* – Sêneca
- *O ente e a essência* – Santo Tomás de Aquino
- *Sobre a potencialidade da alma* – De quantitate animae – Santo Agostinho
- *Sobre a vida feliz* – Santo Agostinho
- *Contra os acadêmicos* – Santo Agostinho
- *A Cidade do Sol* – Tommaso Campanella
- *Crepúsculo dos ídolos ou Como se filosofa com o martelo* – Friedrich Nietzsche
- *A essência da filosofia* – Wilhelm Dilthey
- *Elogio da loucura* – Erasmo de Roterdã
- *Utopia* – Thomas Morus
- *Do contrato social* – Jean-Jacques Rousseau
- *Discurso sobre a economia política* – Jean-Jacques Rousseau
- *Vontade de potência* – Friedrich Nietzsche
- *A genealogia da moral* – Friedrich Nietzsche
- *O banquete* – Platão
- *Os pensadores originários* – Anaximandro, Parmênides, Heráclito
- *A arte de ter razão* – Arthur Schopenhauer
- *Discurso sobre o método* – René Descartes
- *Que é isto – A filosofia?* – Martin Heidegger
- *Identidade e diferença* – Martin Heidegger
- *Sobre a mentira* – Santo Agostinho
- *Da arte da guerra* – Nicolau Maquiavel
- *Os direitos do homem* – Thomas Paine
- *Sobre a liberdade* – John Stuart Mill
- *Defensor menor* – Marsílio de Pádua
- *Tratado sobre o regime e o governo da cidade de Florença* – J. Savonarola

- *Primeiros princípios metafísicos da Doutrina do Direito* – Immanuel Kant
- *Carta sobre a tolerância* – John Locke
- *A desobediência civil* – Henry David Thoureau
- *A ideologia alemã* – Karl Marx e Friedrich Engels
- *O conspirador* – Nicolau Maquiavel
- *Discurso de metafísica* – Gottfried Wilhelm Leibniz
- *Segundo tratado sobre o governo civil e outros escritos* – John Locke
- *Miséria da filosofia* – Karl Marx
- *Escritos seletos* – Martinho Lutero
- *Escritos seletos* – João Calvino
- *Que é a literatura?* – Jean-Paul Sartre
- *Dos delitos e das penas* – Cesare Beccaria
- *O anticristo* – Friedrich Nietzsche
- *À paz perpétua* – Immanuel Kant
- *A ética protestante e o espírito do capitalismo* – Max Weber
- *Apologia de Sócrates* – Platão
- *Da república* – Cícero
- *O socialismo humanista* – Che Guevara
- *Da alma* – Aristóteles
- *Heróis e maravilhas* – Jacques Le Goff
- *Breve tratado sobre Deus, o ser humano e sua felicidade* – Baruch de Espinosa
- *Sobre a brevidade da vida & Sobre o ócio* – Sêneca
- *A sujeição das mulheres* – John Stuart Mill
- *Viagem ao Brasil* – Hans Staden
- *Sobre a prudência* – Santo Tomás de Aquino
- *Discurso sobre a origem e os fundamentos da desigualdade entre os homens* – Jean-Jacques Rousseau
- *Cândido, ou o otimismo* – Voltaire
- *Fédon* – Platão
- *Sobre como lidar consigo mesmo* – Arthur Schopenhauer
- *O discurso da servidão ou O contra um* – Étienne de La Boétie
- *Retórica* – Aristóteles
- *Manuscritos econômico-filosóficos* – Karl Marx
- *Sobre a tranquilidade da alma* – Sêneca
- *Uma investigação sobre o entendimento humano* – David Hume
- *Meditações metafísicas* – René Descartes
- *Política* – Aristóteles
- *As paixões da alma* – René Descartes
- *Ecce homo* – Friedrich Nietzsche
- *A arte da prudência* – Baltasar Gracián
- *Como distinguir um bajulador de um amigo* – Plutarco
- *Como tirar proveito dos seus inimigos* – Plutarco
- *Solilóquios / Da imortalidade da alma* – Santo Agostinho
- *Meditações* – Marco Aurélio
- *A doutrina cristã* – Santo Agostinho

Conecte-se conosco:

- **f** facebook.com/editoravozes
- **[Instagram]** @editoravozes
- **[Twitter]** @editora_vozes
- **[YouTube]** youtube.com/editoravozes
- **[WhatsApp]** +55 24 2233-9033

www.vozes.com.br

Conheça nossas lojas:

www.livrariavozes.com.br

Belo Horizonte – Brasília – Campinas – Cuiabá – Curitiba
Fortaleza – Juiz de Fora – Petrópolis – Recife – São Paulo

EDITORA VOZES LTDA.
Rua Frei Luís, 100 – Centro – Cep 25689-900 – Petrópolis, RJ
Tel.: (24) 2233-9000 – E-mail: vendas@vozes.com.br